Le culte de
l'am@teur

Traduction de l'avant-propos et du chapitre 9:
Louise Chrétien et Marie-Josée Chrétien
Infographie: Chantal Landry

DISTRIBUTEURS EXCLUSIFS:

• Pour le Canada et les États-Unis:
  MESSAGERIES ADP*
  2315, rue de la Province
  Longueuil, Québec J4G 1G4
  Tél.: (450) 640-1237
  Télécopieur: (450) 674-6237
  * filiale du Groupe Sogides inc.,
    filiale du Groupe Livre Quebecor Média inc.

Catalogage avant publication de Bibliothèque et Archives
nationales du Québec et Bibliothèque et Archives Canada

Keen, Andrew

    Le culte de l'amateur : comment Internet tue notre culture
    Traduction de: *The cult of the amateur.*

    Comprend des réf. bibliogr. et un index.

    ISBN 978-2-7619-2563-1

1. Internet - Aspect social. 2. Internet - Aspect économique.
3. Société informatisée. 4. Changement social. I. Titre.

HM851.K4314 2008   303.48'33   C2008-941463-2

Pour en savoir davantage sur nos publications,
visitez notre site: **www.edhomme.com**
Autres sites à visiter: www.edjour.com
www.edtypo.com • www.edvlb.com
www.edhexagone.com • www.edutilis.com

10-08

Gouvernement du Québec – Programme de crédit
d'impôt pour l'édition de livres – Gestion SODEC –
www.sodec.gouv.qc.ca

L'Éditeur bénéficie du soutien de la Société de développement des entreprises culturelles du Québec pour son
programme d'édition.

Le Conseil des Arts du Canada
The Canada Council for the Arts

Nous remercions le Conseil des Arts du Canada de l'aide
accordée à notre programme de publication.

Nous reconnaissons l'aide financière du gouvernement
du Canada par l'entremise du Programme d'aide au
développement de l'industrie de l'édition (PADIÉ) pour
nos activités d'édition.

Andrew Keen

Le culte de
l'am@teur

Comment Internet
tue notre culture

Traduit de l'américain
par Jacques-Gilles Laberge

LES ÉDITIONS DE
L'HOMME
Une compagnie de Quebecor Media

À Elias, Zara et Betsy

Avant-propos

La femme qui m'aborda après la conférence semblait traumatisée : « Comment cela a-t-il pu se produire, demanda-t-elle, l'air hébété. Jamais ce n'était arrivé auparavant. »

C'était à la fin novembre de l'an dernier et nous étions là dans l'auditorium d'un hôtel de Berlin à essayer de comprendre le massacre insensé qui venait d'avoir lieu dans une petite école secondaire du sud de la Finlande. Je venais tout juste de donner une conférence expliquant comment la révolution du Web 2.0 était en train de corrompre les jeunes du monde entier. Mon discours reprenait les arguments du présent ouvrage, c'est-à-dire que MySpace et Facebook créent une culture de narcissisme numérique ; que des sites d'échange de connaissances, comme Wikipédia, minent l'autorité des enseignants dans leurs classes ; que la génération YouTube est davantage intéressée à s'exprimer elle-même qu'à connaître le monde réel ; et que la cacophonie des blogues anonymes et du contenu généré par les utilisateurs insensibilise les jeunes aux voix des spécialistes informés et des journalistes professionnels. Les enfants d'aujourd'hui sont tellement occupés à s'autodiffuser sur des réseaux sociaux qu'ils ne s'intéressent plus aux œuvres de création des musiciens, des romanciers et des cinéastes professionnels.

La femme était une institutrice de la Finlande, un pays qui se distingue non seulement par le style de vie très branché et interconnecté de ses citoyens (particulièrement les jeunes), mais aussi par ses taux de criminalité et de violence exceptionnellement faibles. Toutefois, cet état de grâce a volé en éclats à l'automne dernier lorsque Pekka Eric Auvinen, un élève de 18 ans d'une petite ville juste au nord d'Helsinki, a commencé à afficher des messages sur YouTube. Sa vidéo, autorisée sous le nom de « sturmgeist89 » (qui signifie « âme tourmentée » en allemand), était intitulée *Massacre à l'école secondaire Jokela – 2007/11/7*. Elle mettait en vedette Auvinen, armé, arborant un t-shirt où il était écrit « L'humanité est vraiment surfaite », qui prédisait un massacre à son école secondaire. Pourtant, personne – ni l'administrateur de YouTube ni les millions de visiteurs du site – n'a sonné l'alarme au sujet de cette vidéo ni ne l'a rapportée à la police. Tel que promis, deux semaines plus tard, le 7 novembre 2007, Auvinen est entré dans l'école secondaire Jokela et a tué deux jeunes filles, cinq garçons et la directrice de l'école.

La femme qui se tenait devant moi dans l'auditorium de l'hôtel de Berlin avait raison. Une telle chose ne s'était jamais produite dans la paisible Finlande. Je l'ai regardée en silence ne sachant quoi lui dire ni comment la réconforter. Cette fois, je ne pouvais pas blâmer les médias générés par les utilisateurs; YouTube n'était pas la cause de la psychose meurtrière d'Auvinen, mais uniquement son véhicule d'expression. Pourtant, personne ne peut nier que cette histoire tragique et insensée – l'autopromotion d'un adolescent dans une vidéo anonyme qu'il a produite lui-même, l'absence de réglementation ou de responsabilité quant au contenu de YouTube, l'effondrement de l'autorité culturelle et le bain de sang qui en a résulté – a été facilitée par le Web 2.0, même s'il n'en est pas la cause directe.

«Quoi qu'il en soit, dit-elle en me tendant la main, je veux vous remercier.

— *Me remercier?* répondis-je en prenant sa main glacée. Je ne pense pas avoir réussi à expliquer ce qui s'est produit.

— Personne ne peut expliquer une telle chose, dit-elle doucement. Mais je veux vous remercier pour votre livre et pour votre conférence d'aujourd'hui. Je ne suis pas d'accord avec tout ce que vous dites, mais voilà enfin quelqu'un qui soulève de sérieuses questions culturelles et éthiques sur cette génération YouTube. Vous proposez un dialogue vraiment important. Nous devons tous réfléchir à ce sujet avant qu'il ne soit trop tard.»

Quelques mois auparavant, une conversation sur le même sujet avait suscité une tout autre réaction. C'était la veille de la parution de mon livre et une amie journaliste en prédisait l'accueil.

«Dès que ton livre paraîtra, dit-elle, me prévenant de l'imminence de mon infamie, tu deviendras automatiquement la personne la plus détestée sur Internet.

— Mais c'est seulement un ouvrage qui critique les médias générés par les utilisateurs, lui répliquai-je. Ce n'est pas une question de vie ou de mort. Pourquoi des étrangers me détesteraient-ils parce que j'ai écrit un livre?»

Malheureusement, mon amie journaliste avait raison. Aussitôt l'ouvrage en librairie, j'ai été attaqué de toutes parts. Pour les utopistes du numérique, *Le culte de l'amateur* était plus qu'un livre. Ils y ont vu une violente attaque contre leur mode de vie. Les blogeurs, les «YouTubeurs» et autres «wikipédiens» ont non seulement pris ma critique très au sérieux, mais ils se sont sentis personnellement visés. Je renversais leur renversement original, contestais leur foi incontestée en la démocratie numérique et me révoltais contre la révolution télématique qui définissait désormais leur collectivité.

Je suppose que leurs attaques personnelles étaient aussi «de bonne guerre» – les blogeurs m'ont qualifié, ainsi que mon ouvrage, de «luddite», erroné, simpliste, inexact, sans vergogne, de mauvaise foi, méprisable et pire – des injures que la décence m'interdit de publier ici. Le quotidien français *Libération* a résumé mon infamie en me surnommant l'«Antéchrist de la Silicon Valley» et un journaliste américain de CNet a décrit mon livre comme un «J'accuse bien tardif» (*latter day* J'accuse). Le quotidien anglais *The Guardian* m'a même affublé d'un costume religieux en me décrivant comme le «Martin Luther de la contre-réforme d'Internet».

Mes critiques avaient-ils raison?

Je ne suis pas sûr d'être ni l'Antéchrist ni le Martin Luther du Web 2.0, mais ils avaient raison sur au moins un point. L'été dernier, Stephen Colbert m'a invité à son émission sur Comedy Central, *The Colbert Report*.

«Vous, monsieur, me cria-t-il en me brandissant l'index sous le nez, vous êtes un élitiste.

— Je le suis, en effet, admis-je, en m'éloignant du doigt de Colbert. Quel mal y a-t-il à cela?»

Eh bien, oui, je le confesse. Je n'ai pas honte d'admettre que je me fie davantage aux reportages sur l'Irak des journalistes chevronnés et responsables du *New York Times* qu'à ceux de blogueurs anonymes, et que j'ai davantage confiance à la couverture des élections des journalistes et des analystes professionnels qu'à celle des baladodiffuseurs improvisés. Je n'ai pas honte non plus de reconnaître que je préfère l'humour et l'esprit professionnels de Stephen Colbert à celui de n'importe quel comique sur YouTube, ou la musique raffinée de Bob Dylan à celle d'un artiste amateur qui fait sa propre promotion. Le talent a toujours été, et restera toujours, une denrée rare. Et, de même que j'exige que mon médecin soit diplômé d'une université crédible et que mon avocat ait réussi l'examen du Barreau, je veux être informé et amusé par des gens talentueux et professionnels.

Cela dit, en ce qui concerne les autres critiques du livre, quelques-unes sont valables. Oui, il m'arrive de mettre les médias traditionnels sur un piédestal et de passer sous silence la médiocrité désolante de la télévision, tant les réseaux généralistes que les chaînes spécialisées, particulièrement leurs prétendues informations, leurs insignifiantes émissions de téléréalité et leurs concours de popularité style *American Idol*. Oui, j'ai beaucoup de difficulté à admettre qu'on peut trouver sur YouTube et sur la blogosphère du contenu intéressant et d'excellente qualité – quand on sait où chercher. Et il est vrai que je doute toujours que le contenu généré par les utilisateurs ait forcé les médias traditionnels à devenir plus concurrentiels et plus responsables. Mes détracteurs m'ont aidé à reconnaître la justesse de ces critiques et je leur en suis reconnaissant.

Toutefois, la majorité des critiques en ligne reflètent la myopie des masses du numérique, particulièrement celles qui m'accusent de détester la technologie, d'être contre le progrès ou un « luddite ». J'aimerais que mes détracteurs puissent me voir en ce moment. J'écris cet avant-propos sur un portable tandis que je navigue sur Internet sur un autre ordi. Dans une poche, j'ai mon BlackBerry et dans l'autre, mon iPod chargé à bloc de super balados.

Si je suis aussi branché qu'un ado finlandais, pourquoi ai-je lancé une polémique contre Internet ? C'est l'enseignante que j'ai rencontrée à Berlin qui m'a le mieux décrit. Je ne suis peut-être pas Martin Luther, mais je suis prêt à lancer la discussion. Je veux bien concéder que le contenu amateur généré par les utilisateurs n'est pas dépourvu de valeur, ni de talent, ni de mérite et admettre que les médias traditionnels sont loin d'être parfaits, mais je continue à croire qu'il est important que ces nouveaux médias fassent l'objet d'une discussion sérieuse avant qu'il ne soit trop tard. Les blogues, MySpace, YouTube et autres médias du même acabit n'entraînent pas directement la corruption de notre culture – ou des événements tragiques comme le massacre de l'école secondaire Jokela le 7 novembre 2007 – mais leur caractère anonyme et arbitraire contribue à son déclin en désinformant les jeunes, en diminuant l'importance de la participation physique, en menaçant le droit à la vie privée et en amenuisant le sens des responsabilités et l'obligation de rendre des comptes.

Voilà le dialogue que j'ai tenté de susciter en écrivant le présent ouvrage – et je pense avoir réussi –, tant aux États-Unis que dans le reste du monde. Depuis la parution de mon livre l'été dernier, j'ai eu la chance de rencontrer des milliers de gens qui, comme moi, sont profondément inquiets et confus au sujet des conséquences éthiques, culturelles et économiques de la révolution du « tout participatif ». Si les adeptes du numérique me détestent, nombreux sont ceux – enseignants, ingénieurs du son, politiciens, libraires, parents, éditeurs, graphistes, spécialistes des lois sur la propriété intellectuelle, entrepreneurs des médias et d'autres professionnels – qui sont de mon côté. Comme l'enseignante finlandaise, ils veulent en parler avant qu'il ne soit trop tard.

Je ne m'attends pas à ce que tous soient d'accord avec tout ce que je dis. Je ne suis pas le chef de la contre-réforme d'Internet et je ne pense pas détenir l'unique vérité. Je demande simplement et poliment aux lecteurs d'aborder mon ouvrage en étant ouverts à tous les aspects, positifs comme négatifs, des médias générés par les utilisateurs. Cette ouverture d'esprit permettra de lancer la discussion sur la révolution numérique. Et ce modeste ouvrage aura atteint son but.

Berkeley, CA – Le 5 janvier 2007

Introduction

P our un peu, on jurerait qu'on est de retour en 1999 : Silicon Valley est de nouveau en plein essor et les utopiens se sont remis à délirer comme à l'époque. J'ai récemment rencontré un de ces évangélistes de la technocratie à San Francisco. Alors que nous bavardions en sirotant un petit chardonnay local bien fruité, il m'a confié qu'il était en train de concevoir un nouveau logiciel qui permettrait de publier de la musique, du texte et de la vidéo sur Internet. « C'est un mélange de MySpace, de YouTube, de Wikipédia et de Google, le tout à la puissance x », qu'il m'a dit.

J'ai rétorqué que je travaillais sur un ouvrage de polémique qui traitait de l'impact destructeur de la révolution numérique sur notre culture, notre économie et nos valeurs. « C'est un mélange d'ignorance, d'égoïsme, de mauvais goût et de tyrannie plébiscite… à la puissance x », ai-je conclu, sourire en coin.

Il m'a renvoyé un pâle sourire, visiblement mal à l'aise. « C'est le Huxley de l'ère numérique, a-t-il avancé. Vous réécrivez Huxley à la sauce du xxie siècle. Au *Meilleur des mondes*, version 2.0 ! » a-t-il lancé en levant son verre en mon honneur. Nous avons trinqué, mais je savais que nous ne pensions pas au même Huxley : mon interlocuteur faisait référence à Aldous alors que c'est son grand-père, T. H. Huxley, qui m'a inspiré le présent ouvrage. Biologiste évolutionniste du xixe siècle, Huxley avait élaboré le paradoxe du singe savant : si l'on donnait un nombre infini de machines à écrire à un nombre infini de singes, l'un d'eux finirait par pondre un chef-d'œuvre, que ce soit une pièce digne de Shakespeare, un dialogue platonicien ou un traité économique à la Adam Smith[1].

Avant l'arrivée d'Internet, le scénario de Huxley n'était rien de plus qu'une amusante probabilité mathématique. Or, ce qui n'était hier que jeu d'esprit fait désormais figure de monstrueuse contre-utopie : la théorie du singe savant de Huxley prend aujourd'hui des allures de prophétie en ce sens qu'elle semble prédire le nivellement culturel qui brouille actuellement les distinctions entre auteur et spectateur, créateur et consommateur, expert et amateur.

Il s'agit là d'un problème sérieux.

La prophétie de T. H. Huxley s'est aujourd'hui réalisée, à cette différence que les machines à écrire ont été remplacées par des ordinateurs personnels et les singes, par des utilisateurs d'Internet. Et au lieu de créer des chefs-d'œuvre, ces millions de singes exubérants, dont la plupart n'ont pas plus de talents artistiques que leurs cousins primates, s'emploient à ériger une cité numérique d'une médiocrité prodigieuse. Commentaires politiques sans fondement ; vidéos et musiques d'un amateurisme désolant ; poèmes, critiques, essais et romans absolument illisibles : les singes de notre ère publient à peu près n'importe quoi par leurs réseaux informatiques.

Au cœur de ces singeries diverses, un élément demeure omniprésent : le blogue. Journal intime de l'univers virtuel, le blogue est devenu la coqueluche d'Internet. Un nouveau blogue est créé à chaque seconde, 24 heures par jour, 7 jours sur 7. Par le moyen du blogue, chacun étale aujourd'hui sur Internet sa vie privée, sa vie sexuelle ou sa vie rêvée dans toute sa splendeur ou sa banalité. Le blogue est devenu pour bon nombre d'entre nous comme une seconde existence, une vie virtuelle. Au moment où j'écris ces lignes, on compte plus de 55 millions de blogues sur Internet et leur nombre double tous les six mois. Dix nouveaux blogues ont été lancés dans le temps qu'il vous a fallu pour lire ce paragraphe.

Si l'on continue à ce rythme, il y aura en 2010 plus de 500 millions de blogues qui, collectivement, viendront corrompre et confondre l'opinion publique sur des sujets aussi divers que la politique, le commerce, l'art et la culture. Étourdis par la quantité vertigineuse d'information – souvent contradictoire – qu'ils représentent, nous avons perdu la capacité de distinguer le vrai du faux, de différencier la réalité de l'imaginaire. Les jeunes d'aujourd'hui ne font pas la différence entre des nouvelles crédibles rapportées par des journalistes professionnels et ce qu'ils lisent sur untel.blogspot. com. Aux yeux de ces utopiens de la génération Y, chaque publication sur Internet est une interprétation de la vérité, la version des faits tels qu'ils ont été vus par l'individu qui l'a publiée.

Par-delà les blogues, il y a Wikipédia, une encyclopédie en ligne à laquelle tout un chacun peut contribuer. Plus de 15 000 personnes ont rédigé, dans une centaine de langues différentes, les quelque 3 millions d'articles que l'on trouve aujourd'hui sur Wikipédia; or, aucun travail d'édition ou de vérification n'a été effectué sur ces renseignements.

Wikipédia accueille chaque jour plusieurs centaines de milliers de visiteurs et figure en troisième position des sites d'information et d'actualité les plus visités, surclassant même CNN et la BBC sur ce plan. Ce qui est inquiétant, c'est que Wikipédia a réussi cet exploit sans reporters, sans équipe de rédaction et sans bénéficier d'aucune expérience que ce soit dans la collecte de nouvelles. Dans cet univers où l'amateurisme est roi, un nombre infini de singes acheminent une quantité infinie d'informations à un nombre infini de lecteurs. Ainsi se perpétue à l'infini le cercle vicieux de l'ignorance et de la désinformation.

Sur Wikipédia, n'importe qui peut réécrire un article de façon à servir ses propres intérêts – ce qui arrive plus souvent qu'on ne le croirait. Le magazine *Forbes* a récemment fait paraître un article dans lequel des employés de McDonald's et de Wal-Mart avouent utiliser Wikipédia à des fins de propagande corporatiste. L'un d'eux aurait par exemple effacé, sous l'article de McDonald's, le lien menant au site d'Eric Schlosser, auteur de *Fast Food Nation*, un ouvrage qui dénonce les pratiques répréhensibles des chaînes de restauration rapide. Sous l'article de Wal-Mart, un paragraphe qui expliquait comment les employés de l'entreprise étaient sous-payés avait été mystérieusement éliminé[2].

Les singes savants qui envahissent Internet ne se cantonnent pas au domaine de l'écrit : à l'aube du XXIe siècle, certaines des machines à écrire de T. H. Huxley se sont métamorphosées en caméras vidéo. Du coup, Internet est devenu une vaste librairie de contenu vidéo généré par les utilisateurs. De tous les sites Internet, le site d'hébergement de vidéos amateurs YouTube est celui qui connaît présentement la croissance la plus rapide[3] : chaque jour, 65 000 nouvelles vidéos y sont inscrites et 60 millions de clips y sont visionnés, ce qui nous donne un total annuel de plus de 25 millions de nouveaux clips[4] et d'environ 25 milliards d'appels de fichier. YouTube a connu d'emblée un tel succès que Google l'a acheté en 2006 pour la coquette somme de 1,5 milliard de dollars.

YouTube surpasse les blogues par l'inanité et l'absurdité de son contenu – prosaïsme et narcissisme sont à l'honneur chez les singes vidéographes. Le site est une vaste galerie de vidéos amateurs où d'aucuns peuvent admirer de pauvres imbéciles qui dansent, chantent, mangent, se lavent, dorment, conduisent leur voiture, font le ménage et leur magasinage. Certains restent parfaitement immobiles en fixant leur ordinateur. En août 2006, dans un clip immensément populaire intitulé *The Easter Bunny Hates You* (le lapin de Pâques vous déteste), un individu déguisé en lapin harcelait et agressait les gens dans la rue ; selon la revue *Forbes*, cette vidéo aurait été visionnée plus de 3 millions de fois en deux semaines. Autres sujets favoris : mise en abyme dans laquelle un utilisateur en observe un autre, qui en observe un autre, et ainsi de suite jusqu'à ce que la chaîne aboutisse à une femme qui est en train de se préparer un sandwich à la confiture et au beurre d'arachide devant la télé ; une danseuse malaisienne portant une jupe ridiculement courte qui se trémousse sur des airs de Ricky Martin et Britney Spears ; un chien qui tourne en rond pour essayer d'attraper sa propre queue ; et une Britannique expliquant comment manger un biscuit à la marmelade et au chocolat. Des millions de gens visitent chaque jour YouTube pour visionner des inepties de ce genre. Mais l'allégorie la plus juste – bien que sans doute involontaire – de YouTube est sans contredit cette vidéo de singes en peluche qui dansent.

Non content de nous abrutir de la sorte, Internet fait de nous des moutons. Quand on lance une recherche sur Google, les mots que l'on utilise sont inscrits dans une « intelligence collective » qui représente la somme de toutes les recherches effectuées par les utilisateurs. La logique du moteur de recherche Google – ce que les technologues appellent un algorithme – reflète la « sagesse » de la masse : plus les gens cliquent sur un lien résultant d'une recherche, plus ce lien est susceptible d'apparaître dans des recherches subséquentes. Le moteur de recherche est l'agrégat des 90 millions de questions que nous posons chaque jour à Google. En d'autres termes, le moteur nous dit ce que nous savons déjà.

Certains sites d'actualité tels que Digg et Reddit, où les nouvelles sont glanées ici et là puis publiées sans être vérifiées, font également appel à la « sagesse » de la masse. Ces sites organisent leurs gros titres non pas en fonction de l'importance, en se basant sur le jugement de rédacteurs et de journalistes professionnels, mais en fonction de ce que leurs utilisateurs ont déjà lu. Au moment où j'écris ces lignes, une guerre atroce opposant Israël au Hezbollah fait rage au Liban. Les utilisateurs de Reddit ne sont sans doute pas au courant de cela puisque leur palmarès des 20 nouvelles les plus « chaudes » ne contient rien qui concerne Israël, le Liban ou le Hezbollah. Ils pourront par contre s'informer du tour de poitrine d'une certaine actrice britannique, des habitudes de marche des éléphants et des tunnels souterrains du Japon, et auront droit à une satire de la dernière pub de Mac. Reflet exact de nos champs d'intérêt les plus anodins, Reddit tourne le journalisme traditionnel en dérision et traite l'actualité comme un vulgaire jeu de société.

Le *New York Times* estime que 50 pour cent des blogueurs utilisent le blogue uniquement pour faire étalage de leurs expériences personnelles et de leur vie privée. Le slogan de YouTube est *Broadcast Yourself*, « Diffusez-vous », ce que nous faisons avec un enthousiasme des plus narcissiques. Dans cet univers virtuel qui est le miroir de nous-mêmes, les médias professionnels ont cédé le pas aux médias personnalisés. Au lieu d'utiliser Internet pour nous informer et nous cultiver, nous cherchons à faire nous-mêmes la nouvelle, à devenir des objets de culture. Cet insatiable désir d'attention explique la popularité de sites de réseautage personnel tels MySpace, Facebook et Bebo, sur lesquels chacun peut s'afficher. Ces temples de l'autodiffusion prétendent favoriser l'interaction sociale, mais leur vocation est en réalité purement narcissique. Sur ces sites, chacun s'annonce tel un produit de consommation en dévoilant tout de lui-même : on parle de ses films et de ses romans favoris ; on vante ses propres qualités ; on affiche ses photos de vacances ; on fait le récit de la dernière cuite qu'on s'est payée ; et ainsi de suite. De plus, parce qu'ils incitent chacun à se révéler sans réserve, ces sites attirent les pédophiles et autres prédateurs sexuels.

Internet a mis nos standards culturels et nos valeurs morales en péril, mais le plus grave, c'est qu'il s'en prend aussi aux institutions qui façonnent notre culture – journaux, maisons de disques, maisons d'édition, chaînes de télévision, studios de cinéma, etc. En privant les journaux et magazines des revenus reliés aux annonces classées, les sites de petites annonces gratuites tel Craigslist compromettent nos sources d'information les plus fiables. Toutes les grandes entreprises journalistiques ont connu une importante baisse de revenus au premier trimestre de 2006 : durant cette période, le chiffre d'affaires de la New York Times Company a baissé de 69 pour cent ; celui de la Tribune Company, de 28 pour cent ; celui de Gannett, la plus importante compagnie de journaux en Amérique, a chuté de 11 pour cent. Le tirage est lui aussi à la baisse. Le *San Francisco Chronicle*, qui, ironiquement, est le clairon de Silicon Valley, a vu son tirage diminuer de 16 pour cent aux deuxième et troisième trimestres de 2005[5]. En 2007, la société Time, Inc., qui publie pourtant des magazines extrêmement populaires tels *Time*, *People* et *Sports Illustrated*, a dû licencier 300 employés de ses salles de rédaction.

Ceux d'entre nous qui lisent encore les journaux savent que l'industrie du disque est elle aussi en difficulté. Les ventes de musique enregistrée ont chuté de 20 pour cent entre 2000 et 2006[6]. Cette baisse radicale est entièrement imputable au piratage qui s'effectue sur les sites de partage de fichiers.

L'industrie hollywoodienne connaît elle aussi sa part de problèmes financiers à cause d'Internet. Avec ses ventes nationales au box-office qui représentent aujourd'hui moins de 20 pour cent de ses revenus et ses ventes de DVD qui n'augmentent plus dû au piratage par Internet, les grands studios cherchent désespérément un nouveau modèle d'entreprise qui leur permettrait de distribuer leur produit sur Internet. David Denby, critique de cinéma au *New Yorker*, affirme qu'un vent de panique souffle actuellement sur Hollywood. L'industrie entière fait l'objet de sévères compressions budgétaires. L'entreprise Disney, par exemple, a annoncé en 2006 qu'elle supprimerait 650 emplois et diminuerait de moitié sa production annuelle de films d'animation[7].

Les médias traditionnels semblent voués à l'extinction. Or, si l'on se fie à la tendance actuelle, ce seront les moteurs de recherche, les blogues et les réseaux d'autodiffusion comme YouTube et MySpace qui prendront leur place. Chaque nouvelle page sur MySpace, chaque nouveau blogue, chaque nouveau clip sur YouTube fait perdre des revenus potentiels aux médias traditionnels. Peut-être est-ce cela qui a motivé Rupert Murdoch à acheter MySpace en juillet 2005 pour la somme de 580 millions de dollars. Cela explique sans doute aussi la vente de YouTube pour 1,65 million de dollars, de même que la montée vertigineuse d'investissements dans des sites similaires. Et que dire de l'irrépressible croissance de Google, qui a empoché des revenus de près de 2,5 milliards de dollars au deuxième trimestre de 2006 ?

Quand l'ignorance s'allie à l'égocentrisme, au mauvais goût et à la tyrannie du peuple, c'est le règne de la planète des singes. Dites adieu à nos experts, à nos spécialistes, aux flambeaux de notre culture. Adieu, journalistes, rédacteurs de nouvelles, studios de cinéma et maisons de disques ! Dans ce culte de l'amateur qui sévit aujourd'hui[8], ce sont les singes qui mènent le bal ! Attelés à un nombre infini de machines à écrire, ces macaques rédigent le scénario de notre avenir.

CHAPITRE 1

La grande séduction

J'ai un aveu à vous faire avant de commencer : durant les années 1990, j'ai été l'un des pionniers de la première ruée vers l'or d'Internet. Rêvant d'un monde rempli de musique, j'avais fondé Audiocafe.com, l'un des premiers sites musicaux d'Internet. À l'époque, un reporter de San Francisco m'avait demandé ce que je comptais faire pour changer le monde ; j'avais répondu que mon rêve était de pouvoir écouter l'œuvre complète de Bob Dylan à partir de mon ordinateur portatif et de pouvoir télécharger sur mon téléphone cellulaire les *Concertos brandebourgeois* de Bach.

Comme bien d'autres, j'ai prêché l'évangile de mon rêve d'Internet et séduit bon nombre d'investisseurs. Je suis passé à un cheveu de devenir immensément riche. Tout cela pour vous dire que le présent ouvrage n'est pas une critique ordinaire de Silicon Valley : ce livre est l'œuvre d'un apostat qui a renoncé pour de bon au culte d'Internet.

Mon passage de croyant à sceptique n'a rien de bien dramatique. Je n'ai pas craqué après avoir lu un article erroné concernant T. H. Huxley sur Wikipédia et je n'ai pas été frappé par la foudre en lançant une recherche sur Google. Je n'ai pas eu de révélation soudaine après avoir vu des singes en peluche danser – ce qui me porte à croire que mon épiphanie ne ferait pas sensation sur YouTube.

La transformation est survenue en septembre 2004, lors d'un week-end de camping auquel participaient environ deux cents utopiens de Silicon Valley. Quand je suis arrivé au camp avec mon sac à dos et mon sac de couchage, j'étais membre de leur secte. Quarante-huit heures plus tard, je foutais le camp, dégoûté. J'avais perdu la foi.

L'événement en question se déroulait à Sebastopol, une petite bourgade rurale nichée dans la vallée de Sonoma, dans le nord de la Californie. Silicon Valley, cette légendaire quoique étroite bande de terre sise entre San Jose et San Francisco, n'était qu'à environ 80 kilomètres au sud. C'est à Sebastopol que se trouve le siège social d'O'Reilly Media, l'une des plus importantes entreprises au monde en matière de technologie de l'information, qui s'est donné pour mission de prêcher l'évangile de l'innovation à une congrégation planétaire de technophiles. Elle est à la fois l'un des plus ardents défenseurs de Silicon Valley et l'un de ses plus fervents adeptes.

Chaque automne, O'Reilly Media convie une foule d'invités triés sur le volet à un événement qu'elle a baptisé « FOO Camp », FOO étant l'acronyme de *Friends of O'Reilly* – les amis d'O'Reilly. En plus d'être riches et excentriques, les « amis » de Tim O'Reilly, fondateur multimillionnaire d'O'Reilly Media, partagent une foi inébranlable en la technologie et en ses bienfaits économiques et culturels. Ce groupe hétéroclite d'acolytes composé en partie de hippies vieillissants, d'entrepreneurs travaillant dans les nouveaux médias et de maniaques d'Internet partage également une même hostilité envers les médias et les industries de divertissement traditionnels. Dans un climat qui tient à la fois de Woodstock, de Burning Man (ce célèbre festival de la marginalité contemporaine qui a lieu dans le désert du Nevada) et d'une retraite pour étudiants en commerce, le FOO Camp englobe les valeurs de la contre-culture des années 1960, de l'économie de marché des années 1980 et de la technocratie des années 1990.

Ayant moi-même organisé un événement du genre vers la fin du premier boom d'Internet, je suis bien placé pour dire que le FOO Camp est très différent des autres conférences de Silicon Valley. Son credo – « Pas de spectateurs, que des participants » – laissait entendre que l'événement obéissait à des principes participatifs semblables à ceux de Wikipédia, c'est-à-dire que tout le monde est libre de dire ce qu'il veut sans craindre quelque intervention que ce soit de la part des organisateurs. Bref, beaucoup de blabla, mais sans direction aucune. Au FOO Camp, il n'y a personne aux commandes.

Nous étions là, donc, dormant à la belle étoile sur les pelouses du siège social d'O'Reilly Media, enfants chéris de Silicon Valley, marginaux de l'establishment. Fort de ses deux cents âmes, notre groupe valait collectivement plusieurs centaines de millions de dollars. Pendant deux jours, nous avons grillé des guimauves gaiement sur les feux de camp, célébrant ensemble le retour en force de notre culte : un nouveau règne d'Internet s'annonçait ! Et contrairement à la ruée vers l'or des années 1990, notre exubérance n'avait cette fois rien d'irrationnel. Ce nouvel âge d'Internet, ce que Tim O'Reilly appelait le Web 2.0, allait complètement changer la mise. Maintenant qu'une majorité d'Américains avait accès à des réseaux à large bande, notre rêve d'une société d'internautes branchés en permanence semblait enfin sur le point de se réaliser.

Au FOO Camp de septembre 2004, le mot « démocratisation » était sur toutes les lèvres.

Qui eût cru que la démocratie puisse offrir tant de possibilités, qu'elle puisse être dotée d'un tel potentiel révolutionnaire ! Le Web 2.0 allait tout *démocratiser*, y compris l'information, le savoir, le contenu, la création et l'auditoire. Internet allait *démocratiser* les médias, les entreprises et les gouvernements. Il allait même *démocratiser* les experts et les spécialistes pour les transformer en ce qu'un « ami d'O'Reilly » appelait, dans un murmure révérencieux, de « nobles amateurs ».

Bien que Sebastopol se trouvât à des kilomètres de l'océan, j'ai commencé à avoir le mal de mer dès mon deuxième jour au FOO Camp. J'ai d'abord pensé que ma nausée était due à la nourriture grasse qu'on nous servait ou à la chaleur du climat, mais j'ai vite compris qu'elle était causée par la foncière vacuité de nos discussions.

J'étais venu au FOO Camp pour imaginer l'avenir des médias. Je voulais trouver de nouvelles façons d'utiliser Internet comme instrument de distribution musicale, mais mon rêve d'un monde rempli de musique était malheureusement tombé dans l'oreille d'un sourd. Alors que mon intention était d'employer la technologie pour rendre la culture encore plus accessible, les participants du FOO Camp ne s'intéressaient qu'à la démocratisation des médias.

Le nouvel Internet serait un univers de musique autoproduite et autodiffusée. Bob Dylan ? Les *Concertos brandebourgeois* ? Rien à foutre ! L'auteur et l'auditoire ne formaient plus qu'un.

Nous étions en train de transformer la culture en cacophonie.

Cette année-là, le FOO Camp était le laboratoire d'un avenir qui bouillonnait déjà. Nous n'étions pas là pour parler des nouveaux médias : nous *étions* les nouveaux médias ! Le FOO Camp 2004 était la version bêta de la révolution Web 2.0, de ce nouvel univers forgé au creuset de MySpace, de Wikipédia et de YouTube ; un univers où tout le monde veut se diffuser simultanément, mais où personne n'écoute personne. Au cœur de cette anarchie, j'ai soudain compris que tous ces singes savants qui surfaient gaiement sur Internet étaient gouvernés par une sorte de darwinisme numérique où seule la survie des plus forts en gueule était assurée. Dans de telles conditions, l'obstruction est le seul moyen d'imposer ses idées.

Plus le week-end du FOO Camp avançait et moins j'avais envie de m'exprimer. Le discours narcissique qui m'entourait me poussait au mutisme. Ainsi naquit le germe de ma rébellion contre Silicon Valley. Plutôt que de contribuer au délire ambiant, j'ai choisi de m'abstenir. En passant ainsi de participant à spectateur, j'enfreignais la seule règle du FOO Camp 2004.

Je n'ai pas quitté mon rôle d'observateur depuis. Au cours des dernières années, j'ai bien étudié la révolution Web 2.0 ; or, ce que j'ai vu m'a consterné. J'ai évidemment vu la prolifération des singes savants qui tapent obstinément sur leur clavier, mais une faune étrange et inquiétante est venue s'ajouter à eux. À mon avis, les conséquences de la révolution numérique tiennent du film d'horreur. En dépit de ses idéaux grandiloquents, la démocratisation issue d'Internet n'aura réussi qu'à répandre le dilettantisme, le fiel et le mensonge au sein de nos sociétés. Souvent teinté de rage et d'amertume, le discours des citoyens de la cité virtuelle fait fi de la vérité et favorise l'amateurisme au détriment de l'expérience, du savoir-faire et du talent. C'est cette nouvelle attitude qui menace l'avenir de nos institutions culturelles.

J'ai nommé ce phénomène «la grande séduction». La révolution Web 2.0 nous promettait un accès sans précédent à la vérité ; elle nous a dit que nous bénéficierions d'une information plus fouillée, d'une perspective planétaire plus étoffée, ainsi que de l'opinion objective d'observateurs impartiaux. Tout ça n'était que de la foutaise. Nous constatons aujourd'hui que la révolution Web 2.0 favorise les observations superficielles au détriment des analyses en profondeur, les opinions irréfléchies au détriment des dialectiques éclairées. Les médias d'information ont été réduits au silence sous la clameur de cent millions de blogueurs qui ne sont intéressés qu'à parler d'eux-mêmes. Les contenus gratuits, générés par l'utilisateur, qui font la fierté de Web 2.0 ont décimé l'ensemble de nos organes culturels : les journalistes, chroniqueurs, éditeurs, musiciens et cinéastes professionnels ont été remplacés (ou «désintermédiationnés», pour employer le jargon foocampiste) par des blogueurs, des critiques amateurs, des vidéastes de fortune et des compositeurs du dimanche qui régurgitent à tout vent leurs enregistrements musicaux faits maison. De même, les entreprises qui exploitent les sites à contenu généré par l'utilisateur sapent les revenus des organes médiatiques et culturels traditionnels, menaçant de ce fait leur survie. Même les individus qui sont de grands consommateurs de culture se sont laissé séduire par les promesses creuses des médias «démocratisés».

Au bout du compte, la révolution Web 2.0 a eu pour effet d'appauvrir la culture et de raréfier les sources fiables d'information. Elle ne nous a offert en échange qu'un amas chaotique d'informations inutiles. Au cœur de cette nouvelle utopie numérique, la vérité s'estompe, devient floue ; on pourrait même prédire qu'elle est appelée à disparaître. En créant ainsi des versions personnalisées de la réalité qui reflètent nos myopies individuelles, nous contribuons, comme le dit si bien Tom Friedman, à une « uniformisation » de la vérité. Selon ce schéma de pensée, toutes les vérités se valent. Les médias virtuels sont en train de fragmenter le monde en des milliards de vérités personnalisées qui se prétendent toutes valables. Richard Edelman, président fondateur et directeur général d'Edelman PR, la plus importante agence de relations publiques privée du monde, a dit ceci à ce sujet :

En cette ère marquée par l'essor des médias technologiques, il n'y a de vérité que celle que l'on crée soi-même[1].

Cette dissolution de la vérité menace la qualité de notre discours public, inhibe la créativité et encourage le plagiat et le vol des propriétés intellectuelles. Sans compter qu'il devient très difficile de différencier la fiction de la réalité quand la publicité et les campagnes de relations publiques font la manchette au même titre que l'actualité. Au lieu de contribuer à la communauté en nous transmettant culture et savoir, Web 2.0 capitalise sur notre crédulité en nous servant son contenu douteux issu de sources anonymes. Et ce faisant, elle nous fait perdre un temps précieux.

Qui plus est, Internet nous manipule. À preuve cette vidéo, très populaire sur YouTube, intitulée *Al Gore's Army of Penguins* (l'armée de pingouins d'Al Gore). Ce clip qui a l'apparence d'un film amateur satirise le documentaire *Une vérité qui dérange*, dans lequel l'ancien vice-président américain expose les dangers liés au réchauffement de la planète. Dans le clip de YouTube, Al Gore est un pingouin qui prêche son message écologiste à d'autres pingouins. L'important message que nous livre Gore est ainsi tourné en dérision.

Ce qui est inquiétant dans tout ça, c'est que ce pastiche n'est pas l'œuvre d'un petit rigolo qui aurait pris les écolos en grippe : le *Wall Street Journal* a déterminé que DCI Group, une agence de lobbying et de relations publiques de Washington, D.C., était à l'origine du clip. Fervent partisan du parti conservateur, DCI Group compte le géant pétrolier Exxon-Mobil parmi ses clients[2]. Les quelque 120 000 personnes qui ont visionné le clip sur YouTube ne se doutaient pas que l'armée de pingouins d'Al Gore était un outil de propagande politique camouflé en parodie innocente. Et c'est l'anonymat dans lequel l'information est diffusée sur Web 2.0 qui a rendu possible cette supercherie !

À l'instar des politiciens, les entreprises se servent d'Internet pour tromper l'opinion publique. Les blogues regorgent de propagande voilée. En mars 2006, le *New York Times* soulignait les similitudes entre les publications d'un blogueur qui vantait les mérites de Wal-Mart et des communiqués de presse rédigés par le chef de publicité de l'agence de relations publiques de Wal-Mart dans l'Arkansas[3]. Les textes étaient pratiquement identiques. Les blogues élogieux avaient peut-être été écrits par les mêmes individus qui, sur Wikipédia, avaient éliminé les remarques peu flatteuses concernant la façon dont Wal-Mart traite ses employés.

Les blogues sont devenus l'outil de propagande de prédilection des agences de relations publiques. Aujourd'hui, sur Internet, les stratèges des grandes entreprises s'en donnent à cœur joie. En 2005, avant de lancer une campagne d'investissement majeure, des cadres de General Electric ont rencontré des blogueurs écolos pour tenter de les convaincre de l'efficacité énergétique d'une nouvelle technologie. Les multinationales telles qu'IBM, Maytag et General Motors ont toutes des blogues sur lesquels elles propagent, sous l'apparence de l'objectivité bien entendu, leur version bien spéciale de la vérité.

Les blogues anticorporatistes manipulent eux aussi la vérité. En 2005, une rumeur circulait selon laquelle un client de la chaîne Wendy's aurait trouvé un doigt humain dans son chili. Cette histoire abracadabrante était bien sûr sans fondement, néanmoins les blogueurs anti-Wendy's se sont emparés de la nouvelle, accusant à tout vent ce géant de la restauration rapide de malfaisance. Wendy's a dû éponger un manque à gagner de 2,5 millions de dollars à cause de la médisance des blogueurs ; les actions de l'entreprise ont subséquemment perdu de leur valeur, si bien qu'elle a dû procéder à des mises à pied.

L'ancien premier ministre britannique James Callaghan a dit un jour : «Un mensonge a le temps de faire le tour du monde avant que la vérité se manifeste.» Cela est d'autant plus vrai dans le climat impétueux, fulgurant et expéditif de la blogosphère.

Nul n'est besoin d'être un leader politique pour saisir l'ampleur de la menace que représentent les médias démocratisés. Dans cet univers uniformisé, non contingenté où blogueurs, baladodiffuseurs et vidéographes amateurs sévissent sans que personne ne vérifie leurs propos ou n'évalue leur produit, les contenus douteux abondent. Que le messager soit une agence de relations publiques, une multinationale comme Wal-Mart ou McDonald's, un blogueur anonyme ou un prédateur sexuel évoluant sous le couvert d'une identité inventée, on ne peut plus se fier à lui, à ce qu'il dit. Quelqu'un peut-il affirmer avec certitude que la vidéo de la danseuse malaisienne sexy que l'on retrouve sur YouTube n'est pas l'œuvre d'un réseau de prostitution malaisien? Et la dame britannique qui mange ses biscuits au chocolat et à la marmelade sur YouTube, serait-il possible qu'elle soit à la solde de la United Biscuits Incorporated? Qui vous dit que je n'ai pas écrit moi-même – en me faisant passer pour un autre, bien entendu – la critique dithyrambique du *Culte de l'amateur* que vous avez lue sur Amazon.com et qui vous a convaincu d'acheter ce livre?

La vérité et la confiance sont les souffre-douleur de la révolution Web 2.0 – chose que j'expliquerai plus en détail au chapitre 3. Comment distinguer le vrai du faux, les gens dignes de confiance des mystificateurs dans cet univers de renseignements anonymes et invérifiables où les professionnels de l'information se font de plus en plus rares? L'essentiel du contenu généré par l'utilisateur que l'on retrouve sur Internet est publié anonymement ou sous un pseudonyme, si bien qu'il est impossible de savoir qui en est l'auteur. Le blogue que vous venez de lire a peut-être été rédigé par un singe ou par un pingouin. Ou peut-être même par Al Gore, qui sait?

Prenez par exemple Wikipédia, prétendument la plus importante banque de savoir d'Internet. Contrairement aux encyclopédies professionnelles comme *Encyclopaedia Britannica*, Wikipédia ne dévoile pas l'identité des individus qui rédigent les articles. Le travail de ces rédacteurs amateurs est constamment revu et réinterprété par d'autres rédacteurs amateurs. Ainsi, une «vérité encyclopédique» peut être définie puis redéfinie plusieurs centaines de fois par jour. Le 5 juillet 2006, jour du décès de Ken Lay, fraudeur notoire de la compagnie Enron, l'article qui le concerne sur Wikipédia a été manipulé à plusieurs reprises. À 10 h 06 du matin, quelqu'un écrivait qu'il s'était suicidé. Deux minutes plus tard, l'article était modifié pour dire qu'il était mort d'une crise cardiaque. À 10 h 11, Wikipédia annonçait que Lay s'était suicidé parce qu'il se sentait coupable d'avoir ruiné tous ces gens[4]. À 10 h 12, on changeait de nouveau la cause du décès pour revenir à l'hypothèse de la crise cardiaque. En février 2007, la mort de l'actrice Anna Nicole Smith, qui avait commencé sa carrière en posant pour *Playboy*, a provoqué un imbroglio similaire: dans les minutes qui suivirent l'annonce de son décès,

Wikipédia proposait successivement des versions différentes, et parfois contradictoires, des faits. Dans le numéro de septembre 2006 de la revue *Atlantic*, le journaliste Marshall Poe écrivait ceci à propos de Wikipédia :

> Nous avons tendance à penser que la vérité fait partie intégrante de l'univers, qu'il est écrit dans les étoiles que deux et deux font quatre... Mais Wikipédia suggère une différente *théorie de la vérité*. Songez à la façon dont nous apprenons le sens des mots... La communauté décide que deux et deux font quatre de la même manière qu'elle décide de la définition d'une pomme, c'est-à-dire par consensus. Si la communauté change d'avis et décide tout à coup que deux plus deux égalent cinq, alors *deux plus deux égaleront dorénavant cinq*. La communauté ne prendra probablement pas une décision aussi absurde, néanmoins elle en a le pouvoir[5].

Dans le roman *1984* de George Orwell, Big Brother insiste sur le fait que deux et deux font cinq. Ce faisant, il transforme une affirmation erronée en une vérité officielle, sanctionnée par l'État. Au chapitre 7, je parlerai d'un Big Brother potentiellement plus menaçant que celui d'Orwell : le moteur de recherche. Des dizaines de millions de fois par jour, nous révélons nos secrets les plus intimes à cet outil omnipotent. Les moteurs de recherche comme Google connaissent nos habitudes, nos champs d'intérêt et nos désirs mieux que nos parents, que nos amis et que notre psychanalyste pris ensemble. Mais contrairement au Big Brother fictif de *1984*, celui auquel nous faisons face est bel et bien réel. Nous nous fions à lui pour qu'il garde nos secrets, sans savoir qu'il trahit constamment notre confiance.

Dans l'univers uniformisé de Web 2.0 comme nulle part ailleurs, annonceurs et publicitaires s'emploient à gagner la confiance des gens. Sur ce plan, Internet est en train de révolutionner l'industrie de la pub. Plusieurs journaux, dont le *Wall Street Journal*, ont signalé le fait que MySpace crée sur son site des profils basés sur des personnages fictifs dans le but de « tisser des liens intimes avec des millions de jeunes gens ». Le propriétaire de MySpace, News Corp., a acheté les droits de plusieurs personnages fictifs, notamment ceux de Ricky Bobby, le coureur automobile farfelu joué par Will Ferrell dans la comédie *Ricky Bobby : Roi du circuit*. Se sont également ajoutés à la grande famille de MySpace : Gil, le crabe des publicités de la Honda Element ; la mascotte royale de Burger King ; et « Miss Irrésistible », la porte-parole aux dents éclatantes d'un nouveau type de dentifrice Crest. Gil le crabe, le roi burger et Miss Irrésistible sont-ils réellement nos amis ? Bien sûr que non. Ce sont des personnages fictifs qui n'existent que pour vendre des hamburgers et du dentifrice à nos enfants.

Les parodies de publicités qui pullulent sur Internet minent la crédibilité des campagnes publicitaires qu'elles dénigrent. Le 15 août 2006, le *New York Times* signalait la présence sur YouTube d'une centaine de vidéos pastichant la campagne publicitaire lancée par la société de téléphone Internet Vonage. Au moment de la parution de l'article, ces vidéos avaient été visionnées plus de 5000 fois. Les parodies de ce genre s'emploient généralement à souligner les lacunes d'une marque ou d'un produit et sont donc rarement flatteuses. Au grand dam des publicitaires, ces vidéos amateurs sont pratiquement impossibles à distinguer de l'original puisqu'elles sont souvent montées à partir de fragments de la pub qu'elles pastichent – le directeur de la création de l'agence publicitaire Crispin, Porter & Bogusky qualifie ce phénomène de « terrorisme de marque virtuel ».

La culture démocratisée d'Internet a également occasionné une transformation radicale des notions de « paternité » et de propriété intellectuelle. La propriété intellectuelle se trouve irrémédiablement compromise dans cet univers où auteur et auditoire se confondent de plus en plus et où l'authenticité et la provenance d'une œuvre ou d'une idée sont quasiment impossibles à vérifier. À qui appartient le contenu relatif aux personnages fictifs sur MySpace ? À qui appartient le contenu qu'une myriade de collaborateurs anonymes a créé sur Wikipédia ? À qui appartient le contenu publié sur les blogues ? Cette définition nébuleuse de la propriété, alliée à la facilité avec laquelle tout un chacun peut copier-coller le travail d'un autre pour se l'approprier, a donné lieu à une troublante permissivité face à la propriété intellectuelle.

Copier et coller est devenu un jeu d'enfant sur le Web 2.0. Toute une génération de jeunes kleptomanes de l'intellect s'adonnent aujourd'hui à cette pratique, s'arrogeant sans vergogne le travail et les idées des autres. Les sites de partage de fichiers tels Napster et Kazaa, qui ont fait tant de ravages lors du premier boom Internet, ne sont rien en comparaison de la manipulation de contenu et du piratage de musique et de logiciels qui ont lieu aujourd'hui. Certains visionnaires de Silicon Valley avancent des raisonnements particulièrement tordus à ce sujet. Lawrence Lessig, qui est professeur de droit à l'Université de Stanford et fondateur du site de gestion de droits d'auteur Creative Commons, ainsi que le célèbre auteur « cyberpunk » William Gibson sont de ceux qui se réjouissent de l'appropriation de la propriété intellectuelle. Gibson écrivait ceci dans le numéro de juillet 2005 de la revue *Wired* :

Notre culture n'utilise plus des mots comme *emprunt* ou *appropriation* pour désigner ces activités. L'auditoire d'aujourd'hui n'écoute pas, il participe. En fait, le terme *auditoire* est aussi désuet que celui de *disque*, le premier à cause de la passivité qu'il suppose, et l'autre par son archaïque matérialité. C'est le disque et non le remix qui est une anomalie. Le remix est l'essence même du numérique.

Les étudiants de l'Université d'Oxford en Angleterre abondent de toute évidence dans le sens de William Gibson : en juin 2006, le quotidien *The Guardian* signalait que la réputation de l'université était menacée du fait que de plus en plus d'étudiants soumettaient des travaux composés en grande partie de contenu copié sur Internet. Dans un sondage publié dans la revue *Education Week*, 54 pour cent des étudiants admettaient plagier à partir d'Internet – et il n'est pas certain que les 46 pour cent restants disaient la vérité ! Les individus qui publient leurs *mash-up* et leurs remix sur Internet ne sont plus sensibles à la notion de droit d'auteur et de propriété intellectuelle. Comme le dit si bien le professeur Sally Brown de l'Université de Leeds en Angleterre : « Ces wikipédiastes éclectiques et postmodernes de la génération de Google ne reconnaissent pas nécessairement les concepts de paternité et de propriété tels qu'ils sont appliqués à une œuvre. »

Ces vols intellectuels ont des conséquences particulièrement désastreuses. La culture du remix dont Gibson vante les mérites remet en cause l'inviolabilité de la propriété intellectuelle et on peut même dire qu'elle est en train de bousiller les mécanismes qui assurent la protection de la créativité individuelle. La valeur que l'on accordait autrefois à un ouvrage et à son auteur est désormais menacée par toute une communauté d'internautes qui se permettent d'annoter ou de réviser cet ouvrage et qui, de ce fait, s'en attribuent la paternité.

Dans un article publié dans le *New York Times Magazine*[6] de mai 2006, Kevin Kelly annonçait la mort du « texte autonome », c'est-à-dire de ce que nous appelons traditionnellement un « livre ». Selon lui, l'ouvrage distinct sera remplacé par un médium interconnecté à l'infini qui contiendra tous les livres de la planète, numérisés puis liés ensemble en une « version liquide » des œuvres originales. Kelly considère le fait de copier-coller un texte, de l'annoter pour ensuite l'imbriquer à d'autres fragments de texte, comme un acte aussi important que la rédaction du texte original. Bref, c'est la version littéraire de Wikipédia. Au dire de Kelly, nous devrions délaisser les romans rédigés par les Norman Mailer, Alice Walker et John Updike de ce monde au profit d'un texte numérique truffé de liens hypertextes et continuellement édité et annoté en dilettante par une communauté bigarrée d'internautes.

Cette déconstruction libre de la littérature n'est pas chose du futur : en janvier 2007, en Angleterre, l'Université De Montfort lançait le premier « wiki-roman » de l'histoire[7]. Cette expérience littéraire démocratique parrainée par l'éditeur britannique Penguin Books permet à chacun de contribuer à la rédaction d'un roman collectif sur Internet. Ce ramassis disparate d'amateurs parviendra-t-il à composer un récit cohérent et accompli ? J'en doute. Le critique littéraire Jon Elek, qui s'occupe également du blogue de la maison d'édition, a déclaré : « Je serai satisfait de l'expérience tant que ça ne deviendra pas une histoire de robots zombis assassins aux prises avec des ninjas de l'espace narrée par la tiare papale[8]. »

Le milieu politique est devenu lui aussi la cible d'internautes qui se plaisent à manipuler la vérité. Aux États-Unis, les mensonges véhiculés dans le cyberespace ont atteint tant les conservateurs que les démocrates. Dans la course à la présidence de 2004, le candidat démocrate John Kerry, qui est un patriote américain et un héros de guerre, a été dépeint dans des centaines de blogues conservateurs comme un instrument de propagande du Vietcong. Durant l'été et l'automne 2006, le démocrate centriste et sénateur du Connecticut Joe Lieberman a fait l'objet sur Internet d'attaques virulentes qui lui ont coûté les élections primaires ; ses détracteurs anonymes le traitaient de républicain de droite, amoureux des Bush et partisan de la guerre au Moyen-Orient. (Fort heureusement, Lieberman a finalement eu gain de cause en remportant l'élection générale.)

Les blogues à saveur politique tel MoveOn.org et Swiftvets.com ne tiennent aucunement compte des ambiguïtés et de la complexité de la politique américaine. Plutôt que de débattre sérieusement les grandes questions de l'heure, ces sites s'emploient à galvaniser une minorité partisane qui utilise les médias numériques « démocratisés » pour travestir la vérité et manipuler l'opinion publique.

LE PRIX DE LA DÉMOCRATISATION

Cette confusion de l'auteur et de l'auditoire, des faits et de la fiction, de l'invention et de la réalité a pour effet d'occulter encore davantage l'objectivité. Le culte de l'amateur nous empêche de différencier le lecteur de l'écrivain, l'artiste du frimeur, l'expert de l'amateur, le produit artistique du fait publicitaire. Le déclin de la qualité et de la fiabilité de l'information que nous recevons entraîne une déformation, voire une corruption du discours civique.

Nous verrons aux chapitres 4 et 5 que les vraies entreprises qui ont de vrais produits, de vrais employés et de vrais actionnaires sont les plus grandes victimes de la révolution Web 2.0. Le contenu « gratuit » généré par l'utilisateur que l'on retrouve sur Internet, des petites annonces de Craigslist aux vidéos de YouTube en passant par le dédale « encyclopédique » de Wikipédia, a forcé de nombreuses maisons de disques à fermer boutique, a provoqué d'innombrables mises à pied au sein de la presse écrite et a sonné le glas des librairies indépendantes.

Ce qu'on ne réalise pas, c'est que toutes ces choses que l'on croit gratuites nous coûtent en fait une fortune. Google, YouTube, MySpace, Craigslist et les centaines d'autres entreprises Internet qui forment l'aristocratie de Web 2.0 ne remplaceront certainement pas les produits, les emplois et les revenus perdus dans le génocide des entreprises « non virtuelles ». En monopolisant notre attention comme ils le font, les blogues et les wikis sont en train de décimer les industries – maisons de disques, journaux, maisons d'édition – qui ont créé le contenu qu'ils s'approprient sur leurs sites Internet. En détruisant ainsi la source du contenu qu'elle dévore avec avidité, notre culture est en train de se cannibaliser elle-même. Devons-nous voir en cela le modèle d'entreprise du XXIe siècle ?

Dans son numéro de juillet 2006, la revue *Business 2.0* dressait la liste des cinquante personnalités les plus importantes de la nouvelle économie. En première position de cet impressionnant palmarès, on ne retrouvait pas Steve Jobs ou Rupert Murdoch, et pas même Sergey Brin et Larry Page, les deux fondateurs de Google. Non. Selon les éditeurs de *Business 2.0*, la figure de proue de la nouvelle économie c'est... VOUS ! Le consommateur-créateur :

> Vous – ou plutôt l'intelligence collaborative de dizaines de millions d'individus qui, en réseau, forme une entité distincte – créez et distillez continuellement de nouvelles formes de contenu. Vous décidez de ce qui est utile, pertinent et amusant, et rejetez le reste, devenant par le fait même un membre actif d'un auditoire agrégé et interactif qui s'auto-organise et s'autodivertit.

Qui a été nommé personnalité de l'année de la revue *Times* en 2006 ? Était-ce George W. Bush ou le pape Benoît XVI ? Était-ce Bill Gates et Warren Buffett, qui ont créé ensemble un fonds de 70 milliards de dollars destiné à des œuvres philanthropiques ? Non. À l'instar de *Business 2.0*, *Times* a décrété que la personnalité de l'année, c'était... VOUS :

Oui, vous. Vous contrôlez l'âge de l'information. Bienvenue dans votre univers.

Ce VOUS que tous encensent est le même qui règne en maître sur Wikipédia, ce site où le consommateur de savoir et le créateur de savoir ne font qu'un. Ce VOUS produit et visionne des dizaines de milliers de vidéos par jour sur YouTube. Ce VOUS commande des livres sur Amazon.com pour en faire ensuite la critique. Ce VOUS se fait tour à tour client et vendeur sur Craigslist et sur eBay. Il est à la fois consommateur et concepteur de jeux vidéo sur la plateforme Xbox de Microsoft.

Le « vous » collectif de cette communauté d'internautes ne songe pas que chaque petite annonce gratuite sur Craigslist prive le journal local de revenus importants, que chaque visite sur Wikipédia menace la survie des véritables encyclopédies, que chaque chanson ou vidéo téléchargée gratuitement nuit aux ventes de CD et de DVD, arrachant de ce fait aux artistes les redevances auxquelles ils ont droit.

Dans son récent best-seller, *La longue traîne*[9], l'éditeur en chef du magazine *Wired*, Chris Anderson, salue l'uniformisation de la culture, un phénomène qui, selon lui, marquera la fin des palmarès. Le monde utopique de Chris Anderson sera peuplé d'une infinité de produits, gratifiant le consommateur de choix infinis. Dans *La longue traîne*, Anderson redéfinit la notion d'économie : d'une science de la rareté, il en fait une science de l'abondance, un marché illimité dans lequel la production culturelle est recyclée à l'infini. L'idée est séduisante, mais elle comporte une lacune incontournable. Anderson suppose que la quantité de talent brut qu'il y a dans le monde est aussi infinie que l'espace sur les rayons d'Amazon ou d'eBay. Le fait que les singes savants qui forment le moi collectif d'Internet disposent d'une quantité infinie de claviers n'est pas en soi un gage de talent. Au contraire, on assiste à une pénurie de talent, de compétence et d'expérience dans à peu près tous les domaines de l'activité humaine. Le plus grand défi auquel nous faisons face aujourd'hui sera sans doute de repérer les talents véritables dans cet océan d'amateurs qu'est l'univers Web 2.0. Le monde de médias uniformisés d'Anderson, d'où le succès littéraire et musical est absent, est une prophétie qui renferme son propre aboutissement : il n'y aura effectivement plus de tubes ou de best-sellers si l'on ne veille pas à l'éclosion des nouveaux talents.

Aujourd'hui, sur Internet, tout le monde a droit de parole et toutes les opinions se valent. La voix du sage ne compte pas plus que les bredouillements de l'imbécile. Bon, nous avons tous droit à notre opinion, j'en conviens, mais, comme nous le verrons au chapitre 2, peu d'entre nous ont la formation, la connaissance et l'expérience qu'il faut pour être aptes à formuler une opinion éclairée. Le chroniqueur du *New York Times* Thomas Friedman et le correspondant du journal *The Independent* au Moyen-Orient Robert Frisk, sont des exemples parfaits de journalistes chevronnés. Ils n'ont pas acquis leur connaissance du Moyen-Orient en consultant quelque blogue obscur, mais en passant plusieurs années dans la région, à interviewer les gens et à observer les choses sur le terrain. Cette approche nécessite des investissements considérables en temps et en ressources ; or, ces investissements méritent rémunération. Friedman et Frisk, de même que les journaux pour lesquels ils travaillent, méritent que leurs efforts et leur professionnalisme soient récompensés.

Le talent a toujours été une ressource limitée, mais cela est d'autant plus vrai dans la conjoncture actuelle. Le talent est l'aiguille dans la botte de foin virtuelle d'Internet. Les individus compétents et talentueux ne passent pas leur temps en pyjama devant leur ordi à rédiger des blogues ineptes ou des critiques de film anonymes. L'éclosion des talents et des compétences nécessite une infrastructure complexe où travail, compétences et investissements ont tous un rôle à jouer. Les médias traditionnels disposent d'une telle infrastructure. Ce sont leurs intermédiaires – les dénicheurs de talents, les éditeurs, les publicistes, les techniciens, les experts en marketing – qui découvrent les individus talentueux et les aident à améliorer leurs compétences. Il n'y aura tout simplement plus d'éclosion de talent si l'on « désintermédiationne » l'infrastructure.

Les principes économiques exposés dans *La longue traîne* sont carrément irrecevables. Les technologues utopistes comme Chris Anderson suggèrent que les contenus créés par l'utilisateur donneront naissance à une vaste communauté d'acheteurs et de vendeurs qui généreront des profits en offrant une infinité de produits au consommateur. Dans les faits, le cyberespace connaît un tel engorgement de contenu autogénéré qu'il devient de plus en plus difficile de séparer le bon grain de l'ivraie – ou d'en tirer quelque avantage financier.

Trevor Butterworth écrivait dans le *Financial Times* que personne ne devenait riche en bloguant, pas même Markos Moulitsas Zuniga, fondateur de Daily Kos, le blogue politique le plus populaire d'Internet. L'exemple de GoFugYourself.com, un site satirique qui attire pas moins de 100 000 visiteurs par jour, est particulièrement révélateur. Selon Butterworth, les fondateurs du site ne se font à tout prendre qu'un peu d'argent de poche. Des sites relativement populaires comme JazzHouston.com, qui attire

12 000 visiteurs par jour, génèrent des revenus annuels d'environ 1000 $ en annonçant sur Google[10]. Et que dire de Guy Kawasaki, auteur de l'un des cinquante blogues les plus populaires d'Internet ? Avec près de 2,5 millions de visites en 2006, le blogue n'a rapporté que 3350 $ à son créateur cette année-là[11]. L'utopie financière d'Anderson n'est décidément pas très lucrative. Dans le meilleur des cas, les singes savants d'Internet pourront s'offrir une poignée d'arachides et quelques cannettes de bière.

Devant les rayonnages infinis d'Anderson, on a du mal à décider quoi lire, quoi écouter, quoi regarder. Si vous avez du mal à fixer votre choix quand vous allez chez le disquaire du coin, quelle sera votre indécision quand la « longue queue » du marché d'Anderson se déploiera dans toute son infinitude ! Ceux d'entre nous qui ont un boulot et une vie à l'extérieur d'Internet n'ont pas le temps de ratisser la blogosphère ni d'écouter les millions de groupes musicaux sur MySpace et les dizaines de millions de vidéos sur YouTube dans l'espoir de découvrir un blogue, une chanson ou un clip qui en vaut la peine. L'infinie litanie de contenu amateur que l'on retrouve sur Internet nous dérobe la plus rare et la plus précieuse de nos ressources : notre temps.

Plusieurs entreprises Internet de Web 2.0, notamment Pandora.com, Goombah.com et Moodlogic.com, ont conçu des moteurs de recherche à intelligence artificielle qui sont censés pouvoir trouver les musiques et films que nous sommes susceptibles d'aimer, mais l'intelligence artificielle peut-elle vraiment se substituer efficacement aux goûts et à l'appréciation personnelle de l'individu ? Je ne le crois pas. Aucun logiciel ne peut procurer la confiance implicite que nous avons en certains critiques de cinéma – Nigel Andrews au *Financial Times*, A. O. Scott au *New York Times*, Anthony Lane au *New Yorker* ou Roger Ebert au *Chicago Sun Times*, pour ne nommer que ceux-là. L'opinion experte de ces gens est le produit de toute une vie d'éducation, de formation et d'expérience journalistique. Un algorithme peut-il remplacer les capacités analytiques des chroniqueurs littéraires du *London* et du *New York Review of Books* ou les connaissances musicales des journalistes de *Rolling Stone*, de *Jazziz* ou de *Gramophone* ?

Chris Anderson a raison de dire que l'espace infini d'Internet offre la possibilité d'une multitude de créneaux de programmation ; par contre, il ne mentionne pas le fait que plus un créneau est spécialisé, plus son marché est restreint. Le budget de production de ces organes de diffusion sera donc lui aussi très restreint puisqu'il est proportionnel au marché. L'auditoire et les annonceurs ne tarderont pas à se tourner vers de plus verts pâturages, la qualité de la programmation n'étant pas au rendez-vous. C'est ce qu'a découvert le grand réseau de télévision américain NBC en 2006 lorsqu'il a créé, spécifiquement pour Internet, de courts épisodes interactifs de la série humoristique *The Office*. Le budget alloué au projet était si dérisoire que NBC n'avait même pas les moyens d'engager la vedette de l'émission, Steve Carell. Selon un critique de télé, le résultat ressemblait à un ramassis de chutes sorties tout droit de la poubelle de la salle de montage[12].

Les grands réseaux de télévision assistent aujourd'hui à la fragmentation de leur auditoire en segments de plus en plus ciblés. En 2006, NBC a conçu des sites vidéo pour les homosexuels, et d'autres pour les accros de la télé. Cette année-là, CBS a introduit une chaîne interactive pour adolescents sur Internet, de même qu'un canal dédié aux nouvelles et aux potins de l'industrie du spectacle (Showbuzz.com). Dans une tentative désespérée visant à étendre son auditoire, le réseau de télévision Scripps a lancé des canaux spécialisés dont les sujets se font de plus en plus pointus – travail du bois, assemblage de courtepointe, alimentation santé, etc.

Où cela nous mènera-t-il? Chacun de nous aura-t-il un jour son propre canal dont il sera l'unique diffuseur et l'auditeur solitaire? On assisterait alors à une démocratisation dans le sens le plus fondamental du terme. La conclusion peut sembler absurde, mais elle est déjà du domaine du possible. Depuis cet hallucinant week-end que j'ai passé au FOO Camp 2004, la révolution de Web 2.0, avec son contenu suffisant, narcissique et autogénéré, a atteint son apogée. YouTube n'existait pas avant septembre 2004, et les sites de contenu généré par les utilisateurs, tels que Wikipédia et MySpace, n'étaient connus que d'une poignée d'initiés de Silicon Valley. Nous regardons collectivement aujourd'hui cent millions de clips par jour sur YouTube. MySpace, qui a été fondé en juillet 2003, abrite maintenant plus de 98 millions de profils. Il y a aujourd'hui un nombre quasi infini de sites communautaires pour les ados, les préados, les postados et même, comme nous le verrons plus tard, pour les faux ados.

Les blogueurs et les baladodiffuseurs se sont emparés de nos ordinateurs, de nos téléphones cellulaires et de nos iPod. Ce qui était, il y a quelques années à peine, un culte étrange issu de Silicon Valley est maintenant un mouvement de masse qui est en train de transformer l'Amérique.

Une bande dessinée parue en 1993 dans le *New Yorker* montre deux chiens assis devant un ordinateur. L'un d'eux a posé une patte sur le clavier; l'autre le regarde d'un air étonné. «Sur Internet, personne ne sait que t'es un chien», de dire le chien qui est au clavier à son compagnon. Cette affirmation est encore plus vraie maintenant. Aujourd'hui, dans la folie d'autopublication d'Internet, on ne sait jamais si l'on s'adresse à un chien, à un singe ou au lapin de Pâques. De toute manière, chacun est beaucoup trop occupé à catapulter son ego dans le cyberespace pour se préoccuper de ce genre de détail. Dans la grande lutte darwinienne de la communion des esprits, personne n'écoute personne. Au sein des médias démocratisés, chacun s'affiche telle une star, et il est vrai que nous en sommes les vedettes. Nous sommes les écrivains amateurs, les producteurs amateurs, les techniciens amateurs et l'auditoire amateur du cyberespace.

Dans le grand théâtre d'Internet, l'amateurisme est aux premières loges et c'est l'auditoire qui se donne en spectacle.

CHAPITRE 2

L'amateur noble

Chaque révolution part d'une abstraction apparemment noble. La noble abstraction qui est le moteur de la révolution numérique Web 2.0 est celle de *l'amateur noble*.

J'ai entendu cette expression pour la première fois en 2004 alors que je déjeunais avec un «ami d'O'Reilly». Agitant sa tasse de café sous mon nez pour ponctuer son propos, il m'a dit que tous ces «nobles amateurs» allaient démocratiser «la dictature du savoir-faire» et que Web 2.0 était la conséquence la plus «magnifiquement» démocratique de la révolution numérique. Le monde s'en trouverait irrémédiablement changé, a-t-il ajouté.

«Donc, au lieu d'une dictature de spécialistes, on va se retrouver dans une dictature d'imbéciles», aurais-je pu rétorquer, mais je ne m'en suis pas donné la peine. Son utopie de l'amateur noble n'était rien de plus à mes yeux qu'une autre de ces théories insensées dont Silicon Valley a le secret. Je me rends compte aujourd'hui du sérieux de l'affaire. L'idéal de l'amateur noble se situe au cœur même de la révolution culturelle de Web 2.0 et il menace de renverser nos institutions et nos traditions intellectuelles. On peut considérer la chose comme une variante informatique du bon sauvage de Rousseau : l'amateur noble représente le triomphe de l'innocence sur l'expérience, du romantisme sur le pragmatisme éclairé de la raison.

Mais qu'est-ce au juste qu'un amateur ? La définition traditionnelle du mot est on ne peut plus claire : un amateur est une personne qui s'adonne à une activité en dilettante, par plaisir et non par profession. L'amateur peut avoir une bonne connaissance du domaine qui l'intéresse, mais il ne gagne pas sa vie en le pratiquant. C'est un profane, un touche-à-tout qui n'a pas de formation professionnelle dans ce domaine ni la crédibilité qui accompagne cette formation. Bien avant l'avènement de Web 2.0, le critique, scénariste et écrivain George Bernard Shaw a dit : « L'enfer regorge de musiciens amateurs. » L'enfer de Shaw est peuplé aujourd'hui de blogueurs et de baladodiffuseurs branchés sur des réseaux à large bande.

Le *Petit Robert* définit le mot « amateur » de la façon suivante :

1. Personne qui aime, cultive, recherche (certaines choses).
2. Personne qui cultive un art, une science, pour son seul plaisir (et non par profession).
3. Athlète, joueur qui pratique un sport sans recevoir de rémunération directe (opposé à *professionnel*).
4. Péj. Personne qui exerce une activité de façon négligente ou fantaisiste.

Les dictionnaires sont bien évidemment la représentation parfaite de ce que les amis d'O'Reilly nomment « la dictature du savoir-faire ». Ce sont des ouvrages pointus et rigoureux rédigés par des équipes de lexicographes professionnels qui se réfèrent eux-mêmes à des cohortes de spécialistes, de chercheurs et de conseillers. Dans le dictionnaire, deux et deux font toujours quatre.

Internet est devenu un temple voué au culte à l'amateurisme, un temple où la compétence et la spécialisation sont décriées. Wikipédia et les autres sites de référence au contenu généré par l'utilisateur sont en train de supplanter les dictionnaires officiels et les grandes encyclopédies. Le professionnel cède désormais le pas à l'amateur ; le dilettante a déclassé le lexicographe ; la populace inculte s'est substituée au professeur de Harvard.

Se décrivant lui-même comme « un projet d'encyclopédie librement réutilisable que chacun peut améliorer », le site de Wikipédia, avec ses quelque 200 000 collaborateurs bénévoles, prétend obéir à des principes démocratiques. Contrairement aux encyclopédies professionnelles qui ont été soigneusement rédigées par des équipes de spécialistes chevronnés, Wikipédia est l'œuvre d'amateurs qui peuvent à tout moment ajouter de nouvelles entrées ou modifier les articles existants sans vérification ou supervision.

Mais pourquoi s'opposer à la « démocratisation » des médias ? La libre expression n'est-elle pas un élément fondamental de la démocratie ? Oui, mais cela ne veut pas dire que tout doit être démocratisé. La démocratie a cela de bon qu'elle nous permet de choisir nos gouvernements par le processus électoral; en revanche, la démocratisation radicale de la culture à laquelle on assiste aujourd'hui ne favorise pas la perpétuation du savoir ou la création de nouvelles connaissances. Le fait est que nous vivons présentement dans une société de haute spécialisation où l'excellence est récompensée. Qu'ils soient médecins, journalistes, scientifiques ou designers, tous nos professionnels reçoivent des formations qui s'étendent sur plusieurs années. C'est ce processus éducatif qui leur permet de bien faire leur boulot. Dans *La richesse des nations*, l'économiste Adam Smith souligne que la spécialisation et la division du travail sont les accomplissements les plus révolutionnaires du capitalisme:

> L'amélioration la plus importante relativement à la productivité, et l'accroissement des compétences, de la dextérité et du jugement partout où ces forces productives sont dirigées ou appliquées semblent être un effet de la main-d'œuvre et du travail eux-mêmes.

À l'aube du XXIe siècle, l'expression «division du travail» ne fait pas uniquement référence à l'attribution des postes dans une usine ou sur une chaîne de montage: elle englobe également le travail des individus qui choisissent un métier ou une profession, qui acquièrent une éducation, une formation ou de l'expérience et qui améliorent leurs compétences au sein d'une méritocratie complexe. Ce processus a pour objectif l'acquisition d'un savoir-faire.

Dans un passage célèbre de *L'idéologie allemande*, Karl Marx tente de séduire le lecteur en lui présentant un monde postcapitaliste idyllique où chacun pourrait «chasser le matin, pêcher l'après-midi, s'occuper des troupeaux en soirée et critiquer au souper».

Tout cela est bien joli, mais un individu pourrait-il vraiment exceller en tant que chasseur, pêcheur, éleveur ou critique s'il essaie d'être tout cela à la fois? Et qu'adviendrait-il de l'expert dans un monde peuplé d'amateurs?

L'idéal amateur est palpable sur Web 2.0. Sur le site de Wikipédia, la définition du mot «amateur» – laquelle a été modifiée une cinquantaine de fois depuis juin 2001 – se situe quelque part entre le virtuose et le connaisseur:

> Dans certains domaines, les amateurs contribuent de manières importantes. On peut citer notamment le logiciel libre, la musique libre, l'astronomie et plusieurs domaines dans les sciences naturelles

telles que l'ornithologie ou encore l'entomologie. Pour beaucoup de gens, le terme « amateur » perd alors sa connotation négative, et devient une distinction.

Bien que le mot « noble » n'ait pas été utilisé, on sent que c'est là que les rédacteurs de l'article ont voulu en venir. L'amateurisme est source de fierté pour les collaborateurs anonymes de Wikipédia. Selon Marshall Poe, professeur d'histoire à Harvard, cette attitude pose problème :

> On ne peut pas parler dans ces cas-là de connaissances spécialisées, mais plutôt de savoir populaire... Quand on consulte l'article « réacteur nucléaire » sur Wikipédia, on n'obtient pas tant une définition encyclopédique de la chose qu'une explication d'amateurs qui ont lu certaines choses sur les réacteurs nucléaires et qui vulgarisent encore davantage leurs connaissances générales pour le commun des mortels. Les gens se méprennent quant à la valeur de Wikipédia. Ils se disent : « Pourquoi je ne pourrais pas la citer puisque c'est une encyclopédie ? Pourquoi ne pourrais-je pas m'y fier ? » La vérité est qu'on ne peut pas se fier à ce qui est écrit dans Wikipédia[1].

Les millions d'individus qui contribuent à la rédaction de Wikipédia se complaisent dans la banalité et la vulgarité de leur savoir. Sur Wikipédia, deux et deux font parfois cinq. Dans le numéro de juillet 2006 du *New Yorker*, Stacy Schiff disait que Wikipédia était sans doute « l'organe de publication à compte d'auteur le plus ambitieux du monde[2] ». Ce flambeau de l'autopublication a cependant ceci de particulier qu'il élève l'amateur au rang de sommité, lui conférant une crédibilité supérieure à celle de son homologue professionnel. Bien que Wikipédia ne fasse pas autorité – loin de là –, elle aspire à devenir la plus grande banque de savoir de la planète. Sans doute atteindra-t-elle ce glorieux objectif si ses lecteurs continuent à se satisfaire de la médiocrité et de l'amateurisme de son contenu.

Jimmy Wales, le fondateur de Wikipédia, ne s'oppose pas au culte de vulgarisation et de démocratisation du savoir qui sévit sur son site. Bien au contraire, puisqu'il a dit : « L'important à mes yeux, c'est que l'entrée soit exacte, peu importe qu'elle ait été rédigée par un élève du secondaire ou un professeur de Harvard. » Wales ne croyait pas si bien dire, l'ironie étant que quantité de collaborateurs de Wikipédia se font passer pour des profs d'université. En mars 2007, par exemple, le *New Yorker* annonçait qu'un collaborateur prolifique de Wikipédia qui avait été interviewé récemment par une journaliste du magazine avait modifié des milliers d'articles de Wikipédia sous le couvert d'une fausse identité : l'individu qui répondait au nom d'utilisateur « Essjay » n'était pas un professeur de théologie titulaire de quatre diplômes universitaires, ainsi qu'il le prétendait dans son profil, mais un jeune homme de 24 ans n'ayant aucune expérience professionnelle dans ce domaine ni formation universitaire ; après avoir complété son secondaire dans le Kentucky, Ryan Jordan n'avait même pas entamé d'études collégiales. La supercherie allait bien au-delà de la contribution sous de faux auspices puisque Essjay s'était vu octroyer des privilèges administratifs sur Wikipédia et avait récemment été embauché par Wikia, une entreprise à but lucratif rattachée à Wikipédia dont Jimmy Wales est l'un des fondateurs.

Lorsqu'il a été questionné par le *New Yorker* au sujet de la mystification perpétrée par l'un de ses collaborateurs étoiles, Wales a répondu du tac au tac qu'Essjay était un pseudonyme et non une fausse identité, et qu'il ne voyait pas où était le problème.

Le problème, c'est que Wales – qui n'a lui-même aucun diplôme universitaire puisqu'il a abandonné des études amorcées à l'Université de l'Alabama, puis à celle de l'Indiana[3] – n'est pas apte à déterminer l'exactitude de l'information qu'il y a sur son site. Seuls des spécialistes peuvent faire cela. Dans son entrevue avec Stacy Schiff du *New Yorker*, Wales a déclaré : « Je suis pour l'instruction et l'illumination des esprits. » Dans les faits, le fondateur de Wikipédia n'est pas un réaliste, mais un romantique naïf qui nous séduit avec sa vision d'un monde où règne un noble amateurisme.

Mais qui est donc Jimmy Wales ? Éduqué dans une petite école rurale de Huntsville, en Alabama, Wales a découvert Internet à l'adolescence en jouant à des jeux de rôle sur environnement MUD. Du temps où il étudiait à l'Université de l'Alabama, Wales s'est converti à l'idéalisme libertaire d'Ayn Rand, épousant dès lors une philosophie d'épanouissement personnel qui rejette la tradition et l'ordre établi.

Au milieu des années 1990, c'était la loi du Far West qui régnait sur Internet et les investisseurs s'en donnaient à cœur joie. Dans la cohue générale, Wales a cofondé Bomis, un répertoire virtuel que la revue *The Atlantic* décrira comme étant « le magazine *Playboy* d'Internet ». Axée sur la technologie pair-à-pair (P2P), Bomis offrait à ses visiteurs des liens vers des sites voués à des personnalités féminines aussi affriolantes que Pamela Anderson et Anna Kournikova.

Grâce aux jeux vidéo de son adolescence et à son expérience avec Bomis, Wales a appris l'importance et le pouvoir des réseaux informatiques. En janvier 2000, il engage un étudiant en philosophie du nom de Larry Sanger et lui donne pour mission de bâtir une encyclopédie libre virtuelle. Le projet culminera dans la création de Nupedia, une encyclopédie gratuite entièrement rédigée et corrigée par des spécialistes. Bien que louangé par bon nombre d'intellectuels, le site fut décrié par les utopistes du monde virtuel qui estimaient que ses normes éditoriales très strictes allaient à l'encontre des principes « démocratiques » d'Internet. Un an plus tard, Wales et Sanger intègrent la technologie « wiki » à leur site, créant ainsi un réseau communautaire où chacun peut ajouter ses commentaires sans avoir à passer par l'approbation d'une autorité centralisée[4]. Se cachait derrière tout cela un idéal pour le moins vaniteux voulant que des individus bénévoles et enthousiastes puissent regrouper leurs connaissances individuelles au sein d'un collectif anonyme pour former un tout qui représenterait l'ensemble du savoir humain. Dans l'univers de Wikipédia, l'opinion d'un simple adolescent aurait la même valeur que celle d'un professeur d'université ou d'un professionnel expérimenté.

Charmé par l'utopie collectiviste de Jimmy Wales, le magazine *Times* l'inscrivait sur sa liste des 100 personnalités qui ont changé le monde en 2006, le proclamant « grand défenseur de l'égalitarisme sur Internet ».

Wales estime que le savoir-faire est une chose innée plutôt qu'acquise et que le talent se cache parfois dans les endroits les plus inattendus. Cette pensée magique, que l'on pourrait aussi qualifier de « sagesse » métaphysique, est en accord avec les croyances libertaires de Wales ; les compétences et la réputation d'un expert n'ont aucune valeur intrinsèque à ses yeux. Dans l'utopie walesienne, la valeur d'une idée ou d'une opinion n'a rien à voir avec la culture, les connaissances, ou les accomplissements intellectuels et universitaires de la personne qui l'exprime.

Lorsque Jimmy Wales et Larry Sanger ont lancé Wikipédia en janvier 2001, Sanger a écrit à tous ses amis et leur a dit : « Faites-moi plaisir, allez voir le site et ajoutez un petit article. Ça ne vous prendra pas plus de dix minutes. » Depuis ce jour, des millions de wikipédiens amateurs ont répondu à l'appel de Wales et Sanger.

Les deux fondateurs n'avaient peut-être pas prévu que, dans ce culte de l'amateurisme dont Wikipédia était le temple, l'ignorance persécuterait l'érudition. Le professeur William Connolley, un spécialiste du réchauffement planétaire qui dirige une étude climatique de l'Antarctique à l'Université de Cambridge et qui a plusieurs publications scientifiques à son actif, en sait quelque chose. Connolley a récemment eu des démêlés avec un autre collaborateur de Wikipédia parce qu'il tentait de corriger certaines erreurs dans l'article concernant le réchauffement planétaire. Le collaborateur anonyme accusait Connolley d'avoir «fermement imposé son point de vue en retirant systématiquement de l'entrée tous les points de vue qui ne correspondaient pas au sien».

Le seul point de vue que Connolley essayait d'imposer était celui de l'exactitude scientifique, néanmoins les hautes instances de Wikipédia ont jugé bon de limiter son accès éditorial à une entrée par jour. Bien décidé à contester cette décision, Connolley a porté sa cause en appel. Au bout du compte, le comité d'arbitrage de Wikipédia n'a donné aucun crédit à son savoir-faire. Ce scientifique qui était une sommité internationale en matière de réchauffement planétaire n'avait pas plus de crédibilité à leurs yeux que son détracteur anonyme, qui aurait pu tout aussi bien être un stratégiste à la solde d'une grande compagnie pétrolière.

Ce rejet de la compétence que l'on observe sur Wikipédia a des conséquences aussi absurdes qu'inquiétantes. Un travailleur social de province peut-il vraiment exposer la théorie des cordes avec la même érudition qu'un astrophysicien de renom? Doit-on accorder à ces deux individus la même crédibilité? Un mécanicien automobile peut-il avoir un «point de vue» plus valable qu'un généticien en ce qui concerne la nature des maladies héréditaires? Et qui selon vous en sait le plus sur les origines de l'homme: un fondamentaliste religieux ou un professeur en biologie évolutionniste?

La révolution Web 2.0 contribue malheureusement à perpétuer de telles absurdités. En glorifiant ainsi l'amateur, nous minons l'autorité et la crédibilité des experts qui contribuent aux véritables encyclopédies telle la prestigieuse *Encyclopædia Britannica*, laquelle a connu, au fil des années, des collaborateurs de la trempe d'Albert Einstein, de Marie Curie et de George Bernard Shaw. La définition même de l'érudition suppose un savoir approfondi qui va au-delà de la «sagesse» populaire et de l'opinion publique.

Dénigrant de la sorte les connaissances pointues de nos spécialistes, les sites gratuits à contenu autogénéré menacent l'existence même de nos institutions professionnelles. Forte de plusieurs millions de rédacteurs amateurs, Wikipédia peut se vanter d'être le 17e site le plus visité d'Internet en dépit du fait que son contenu soit sujet à caution. Britannica.com, site des créateurs de l'*Encyclopædia Britannica* auquel ont contribué plus de 4000 spécialistes dont une centaine de lauréats du prix Nobel, se trouve quant à lui au 5128e rang.

Les entreprises comme Britannica, laquelle emploie une centaine de rédacteurs et de vérificateurs professionnels en plus de ses quelque 4000 collaborateurs rémunérés, ont bien du mal à rester compétitives face à des sites comme Wikipédia qui ne paient pas pour leur contenu et n'ont qu'une poignée d'employés salariés. La vénérable Britannica, avec ses 233 ans d'âge, a dû procéder à de sévères mises à pied en 2001 et 2002, coupant ses effectifs de moitié en sol américain – le nombre d'employés est alors passé de 300 à 150. Et ce n'est pas fini : la popularité sans cesse croissante de Wikipédia laisse présager de nouvelles compressions du personnel dans les rangs de Britannica[5].

Les sites à contenu amateur ne semblent offrir aucun avantage hormis leur gratuité. À leur sujet, on peut dire qu'on en a pour son argent, ce qui est loin d'être un compliment. Selon le grand penseur et écrivain Lewis Mumford, ces sites nous plongent dans « un état de privation et d'anémie intellectuelle proche de l'ignorance chronique ». Que ce soit dans les domaines culturels, journalistiques ou scientifiques, nous avons besoin des experts, car eux seuls peuvent nous aider à distinguer l'essentiel de l'anodin, le vrai du faux, l'information digne d'intérêt de celle qui ne mérite pas notre attention.

Bien que les professionnels de tout acabit aient souffert de l'usurpation du savoir qui sévit actuellement sur Internet, nous tous qui consultons Wikipédia, les blogues et autres dispensateurs de contenu gratuit en sommes les plus grandes victimes. Ce sont nous qui, les premiers, subissons les conséquences de cette désinformation généralisée. La triste vérité, c'est que, contrairement aux spécialistes de la trempe du professeur Connolley, la majorité des internautes ne peut pas distinguer l'avis éclairé d'un expert des divagations chimériques d'un collaborateur anonyme de Wikipédia.

La plupart d'entre nous croyons que l'information que l'on retrouve sur les sites à contenu gratuit est digne de foi, mais à la vérité une information divulguée par des amateurs peut rarement être considérée comme fiable. L'ironie dans tout cela, c'est que les médias démocratisés nous forcent à devenir des critiques amateurs puisqu'ils nous obligent à exercer notre esprit critique : eu égard à la quantité sans cesse croissante d'information non vérifiée et non confirmée que l'on retrouve sur Internet, nous n'avons d'autre choix que d'accueillir chaque fait qu'on y lit avec scepticisme. Les sites à contenu généré par l'utilisateur sont si peu crédibles qu'en février 2007 le département d'histoire du collège de Middlebury interdisait à ses étudiants de citer Wikipédia dans leurs travaux de recherche.

Toute cette information gratuite a son prix. Les sites à contenu généré par l'utilisateur nous font tous payer d'une façon ou d'une autre, si ce n'est qu'en nous faisant dilapider l'une de nos ressources les plus précieuses : notre temps.

LE CITOYEN JOURNALISTE

Wikipédia est loin d'être la seule manifestation du cyberespace à glorifier le statut d'amateur. Les « citoyens journalistes », c'est-à-dire les critiques, chroniqueurs, commentateurs, reporters et autres pontes amateurs de la blogosphère, brandissent eux aussi bien haut la bannière du noble amateur.

Le terme « journalisme citoyen » m'apparaît comme un euphémisme ; on devrait plutôt parler de journalisme rédigé par des non-journalistes. Dans une entrevue publiée dans la revue *The New Yorker*, le doyen de la faculté de journalisme de l'Université Columbia[6], Nicholas Lemann, a dit que les citoyens journalistes doivent être considérés comme « des individus qui ne sont pas à l'emploi d'un organisme de la presse écrite, mais qui remplissent une fonction similaire ». Les journalistes professionnels apprennent leur profession à l'université et parachèvent ensuite leur formation sur le tas, en pratiquant leur métier sous l'œil vigilant de confrères et de consœurs expérimentés. Les citoyens journalistes n'ont pour leur part ni formation ni savoir-faire et confondent la plupart du temps fait et opinion, rumeur et reportage, allégation et information.

Dans l'espace démocratisé de la blogosphère, chacun peut publier son propre « journalisme » gratuitement et le plus aisément du monde, sans avoir à se plier à d'embarrassantes contraintes éthiques ou aux exigences d'un comité de rédaction.

On ne devient pas un grand chef simplement parce qu'on a une cuisine chez soi. De même, le simple fait de posséder un ordinateur et une connexion Internet ne nous transforme pas en journalistes chevronnés. Il y a pourtant sur Internet des millions de journalistes amateurs qui sont convaincus du contraire. Selon une étude menée en 2006 par l'organisme Pew Internet and American Life Project, 34 pour cent des 12 millions de blogueurs américains considèrent pratiquer une forme de journalisme[7]. Le nombre des « journalistes » incompétents, bénévoles et amateurs qui disséminent leur désinformation dans le cyberespace s'est multiplié par mille entre 1996 et 2006. L'essentiel de ces cohortes anonymes écrivent, de chez eux et en pyjama, des chroniques largement autobiographiques qui ont pour but non pas d'informer, mais de potiner, d'exposer avec sensationnalisme les scandales politiques de l'heure, d'afficher des photos embarrassantes de divers personnages publics et d'offrir aux visiteurs des liens qui les mèneront vers des histoires d'OVNI ou de complots politiques.

Le porte-étendard du journalisme citoyen, Matt Drudge, a écrit : « Internet donne autant de crédit à un internaute invétéré de 13 ans qu'à un PDG ou qu'au président de la Chambre des communes. Sur Internet, on est tous égaux[8]. » Il va sans dire que Drudge est fier de son statut d'amateur. Et il en va de même de ses 4 millions d'imitateurs : à l'instar de leur héros, ces citoyens journalistes brandissent le glaive de l'amateurisme et pourfendent avec rage et détermination les derniers bastions du professionnalisme. Loin d'eux l'idée de camoufler leurs lacunes sur le plan de la formation et des compétences ! Bien au contraire, ces chevaliers de l'ignorance se targuent de leurs insuffisances et prétendent qu'elles démontrent la pureté de leur vocation, de leur passion et de leur quête de vérité.

Les citoyens journalistes affirment que leur statut d'amateur leur permet de présenter une vision du monde plus honnête et objective que celle des médias traditionnels. Ce n'est évidemment pas le cas. Lorsque l'ouragan Katrina a ravagé La Nouvelle-Orléans en 2005, les citoyens journalistes ont été les premiers à faire circuler des rumeurs concernant l'étendue des dommages. Les blogueurs qui étaient sur place n'ont pas tardé à décrire le chaos ambiant ; certains reporters en herbe téléchargeaient sur Internet des photos de la dévastation prises à partir de leur téléphone cellulaire.

Ces rapports initiaux, que les médias d'information traditionnels ont démenti par la suite, n'ont finalement servi qu'à véhiculer des rumeurs sans fondement, exagérant le nombre des victimes et colportant des histoires erronées de viols et de violence reliée aux gangs de rue dans le Superdome. Ce sont bien sûr les reporters professionnels qui ont produit les reportages les plus exacts et les plus objectifs ; les médias traditionnels nous ont présenté des images plus justes du désastre et nous ont transmis des renseignements provenant de sources sûres qui se trouvaient au cœur même de la catastrophe – policiers locaux, secouristes, ingénieurs de l'armée américaine, témoignages de citoyens et de victimes, etc.

Les citoyens journalistes n'avaient tout simplement pas les ressources nécessaires pour nous relayer des informations fiables. Non seulement n'ont-ils pas la formation et le savoir-faire nécessaires, ils n'ont pas non plus les contacts des médias professionnels ni l'accès à l'information dont jouissent ces derniers – les politiciens, policiers et chefs d'entreprise s'entretiennent volontiers avec les reporters de la télé ou de la presse écrite, un privilège qu'ils n'accordent pas au citoyen ordinaire.

Principal défenseur du journalisme citoyen et auteur de *We the Media : Grassroots Journalism by the People, for the People*, Dan Gillmor estime que l'actualité devrait être présentée sous forme de conversation entre des citoyens ordinaires et non tel un sermon que l'on doit aveuglément accepter comme étant la vérité.

Le hic dans la vision de Gillmor, c'est que le rôle du journaliste n'est pas de converser avec nous, mais de nous informer. Vous voulez discuter avec un journaliste ? Alors invitez-en un à prendre un verre avec vous au bistro du coin. C'est ce que j'ai fait en 2006 quand j'ai invité le chroniqueur économique du *San Francisco Chronicle*, Al Saracevic, à passer une soirée d'automne en ma compagnie. À cette occasion, nous avons abordé le sujet du journalisme amateur. « Qu'est-ce qui différencie selon toi un blogueur d'un journaliste professionnel ? » ai-je demandé à mon interlocuteur, m'attendant à ce qu'il me parle de la qualité du produit final, ou qu'il me dise que les rapports amateurs de récents événements tels que l'ouragan Katrina ou les attentats à la bombe du 6 juillet à Londres n'étaient pas à la hauteur des standards journalistiques parce que l'information n'avait pas été vérifiée par des rédacteurs compétents ou n'avait pas été corroborée par plusieurs sources. Saracevic aurait certes pu me dire tout ça, mais au lieu de cela il m'a lancé : « La différence entre les professionnels et les amateurs, c'est qu'en Amérique les blogueurs peuvent écrire ce qu'ils veulent sans risquer la prison[9]. »

Cette affirmation m'a d'abord désarçonné, puis j'ai compris que Saracevic faisait référence à Lance Williams et à Mark Fainaru-Wada, deux journalistes sportifs et collègues du *Chronicle* qui venaient d'être condamnés à 18 mois de prison pour avoir refusé de révéler l'identité de la source qui leur avait remis une copie du témoignage incriminant du joueur de baseball étoile Barry Bonds, qui avait comparu devant les tribunaux pour répondre à des accusations d'usage de stéroïdes.

Saracevic considère la blogosphère comme un spectacle carnavalesque insignifiant et dérisoire, une partie de poker dans laquelle tous les joueurs friment et où chacun parie avec des billets de contrefaçon. Les blogueurs font rarement l'objet de poursuites ou d'accusations criminelles parce que les gouvernements et les entreprises se foutent royalement de ce qu'ils écrivent. Le citoyen journaliste n'a pas la même responsabilité que les vrais reporters. Le journalisme professionnel, c'est du sérieux, tant pour les journalistes eux-mêmes que pour les hautes instances gouvernementales et les citoyens comme vous et moi – un journal peut se faire poursuivre par un individu ou une entreprise ; un vrai reporter peut se faire jeter en prison.

Nous prenons le journalisme professionnel au sérieux parce que lui seul possède l'infrastructure organisationnelle, les moyens financiers et la crédibilité qui lui assurent un accès direct aux sources d'information et lui permettent de communiquer l'actualité le plus objectivement, exhaustivement et honnêtement possible.

Après notre rencontre, Saracevic m'a envoyé un courriel dans lequel il écrivait :

> On dirait que les lois sur la diffamation ne s'appliquent pas aux citoyens journalistes, mais d'un autre côté on accuse les médias traditionnels de ne pas « dire la vérité au sujet des pouvoirs en place », pour emprunter l'expression de Craig Newmark. Mais pour s'attaquer aux pouvoirs en place, il faut de l'argent, beaucoup d'argent. Il faut de l'argent pour payer des tas d'avocats. On peut dire ce qu'on veut au sujet des médias traditionnels, reste que seule une grosse entreprise vouée au journalisme d'enquête peut s'en prendre aux grosses institutions sans y laisser sa peau.

C'est là un point de vue bien différent de celui que Dan Gillmor m'avait exposé quelques mois plut tôt quand je lui avais demandé de me dire ce que le journalisme citoyen pouvait offrir de plus que les médias traditionnels. En partisan opiniâtre du mouvement, Gillmor avait répondu que la véritable valeur du journaliste amateur résidait en sa capacité de rejoindre des créneaux boudés par les médias traditionnels.

« Quels créneaux, par exemple ? lui ai-je demandé.

– Les voitures hybrides », de lancer mon interlocuteur.

Au dire de Gillmor, les blogues d'information sur la Toyota Prius démontrent la pertinence du journalisme citoyen. Laissez aux autres journalistes leurs reportages de guerre, semblait-il dire, les journalistes amateurs se chargent de vous informer des toutes dernières réactions concernant la Prius. « Mais écrire un compte rendu sur sa voiture favorite constitue-t-il du journalisme ? » ai-je insisté. Voici ce que Gillmor m'a répondu :

> Est-ce que c'est du journalisme ? Je dirais que oui. C'est aussi une conversation entre individus, j'en conviens, mais c'est une conversation collective qui permet aux gens d'échanger leurs idées et leur savoir. Quand quelqu'un publie une information erronée, les autres n'hésitent pas à intervenir pour dire que c'est faux[10].

Bref, pendant que des journalistes professionnels risquent la prison pour avoir dit la vérité, les citoyens journalistes discutent entre eux de leurs automobiles.

Malheureusement, sur Internet, les journalistes amateurs sont légion. Les blogueurs les plus populaires bénéficient d'un lectorat impressionnant, mais n'ont pas plus de formation journalistique que leurs confrères moins appréciés. Pour tout dire, l'essentiel des nouvelles que renferment leurs blogues est une copie ou un agrégat des bulletins d'informations présentés par ces médias traditionnels qu'ils prétendent remplacer.

Ces blogueurs éminents n'auraient que faire d'une formation en journalisme. Pourquoi apprendraient-ils à faire la cueillette et le traitement des informations quand leur activité journalistique se résume à l'ajout d'un lien hypertexte sur un site Internet ? Markos Moulitsas Zuniga a servi dans l'armée américaine et a travaillé dans l'industrie de la technologie avant de fonder le blogue politique à tendance gauchiste Daily Kos. Glenn Reynolds, qui tend plus vers la droite, était professeur de droit à l'Université du Tennessee et producteur de disques amateur avant de créer la tribune numérique Instapundit.com. Étudiant médiocre, Matt Drudge était gérant de la boutique de souvenirs de CBS avant de se lancer dans le journalisme amateur. Tous ces blogueurs voient leurs activités comme découlant d'une vocation morale et non d'une profession régie par des standards officiels ; le fait qu'ils n'aient pas de formation professionnelle et qu'ils ne soient pas réglementés par des normes ou un quelconque code de déontologie est pour eux source de fierté. Ces amateurs se définissent eux-mêmes comme des Davidimbus d'irrévérence qui se sont donné pour mission de terrasser les méchants Goliath de l'industrie de l'information.

Alors que durant la première révolution d'Internet le succès d'un site se calculait au nombre de ses visiteurs, à l'ère de Web 2.0 le succès se mesure à l'accumulation des opinions d'amateurs sur un site donné. En août 2006, j'ai discuté avec Arianna Huffington, femme politique, éditorialiste et créatrice du Huffington Post, un des blogues politiques les plus achalandés d'Internet. Lors de notre entretien, Mme Huffington m'a fièrement confié qu'elle projetait de donner voix, sur son blogue, à des gens qui n'ont pas droit de parole dans les médias traditionnels. Tandis que des journaux réputés tels que le *Los Angeles Times* et le *Washington Post* nourrissent une voix singulière, qui fait autorité grâce au professionnalisme de leurs journalistes, Huffington prétend que son approche populiste est plus près de la vérité parce qu'elle offre un éventail plus riche de points de vue amateurs. Ce qu'elle semble ignorer, c'est que cette multiplicité de points de vue a pour effet de déformer la nouvelle au point de la fausser. (En date de publication de cet ouvrage, Huffington projette de produire des reportages originaux pour son *Huffington Post*.)

Dans le *New Yorker*, Nicholas Lemann soulignait que « les sociétés créent des structures qui ont le mandat de produire et de diffuser le savoir, l'information et l'opinion[11] ». Pourquoi crée-t-on de telles structures ? Afin que nous puissions avoir confiance en ce que nous lisons. Quand un article est publié sous la bannière d'un quotidien respecté, nous savons que son sujet a été approuvé par une équipe rédactionnelle chevronnée, qu'il a été rédigé par un journaliste compétent, que l'information qu'il contient a été vérifiée, éditée et corrigée par des professionnels. Qui plus est, cet article porte le sceau d'un organisme d'information réputé qui garantit l'exactitude et la vérité de ce qu'il publie. Le journalisme amateur ne nous offre pas de telles garanties. Au contraire, il nous laisse explorer seuls les eaux boueuses de la blogosphère, nous place devant une mer de cogitations houleuses dont nous devons nous-mêmes évaluer les mérites.

Qu'ils soient de gauche ou de droite, les blogues ont d'ores et déjà perfectionné l'art de l'extrémisme politique. Contrairement aux magazines et aux journaux édités professionnellement, dans lesquels les points de vue politiques sont cantonnés à la page contre-éditoriale, la majorité des blogues regorgent de déclarations à l'emporte-pièce qui sont souvent radicales et sans fondement. Les blogues les plus populaires se spécialisent dans les thèses de complot et le sensationnalisme contestataire parce qu'ils savent que leurs lecteurs sont friands de ce genre de choses. Lemann note que « même les blogues les plus ambitieux fonctionnent dans l'ensemble tels des pamphlets erratiques, truffés de renvois ; ce sont des forums ouverts à toute opinion qui ne cadre pas avec les médias officiels… ou, plus simplement, à la conception que chacun se fait de l'existence[12] ».

Toute cette belle « démocratie » – que Robert Samuelson du *Washington Post* décrit comme étant « la plus grande manifestation d'exhibitionnisme populaire de l'histoire[13] » – menace l'intégrité de notre dialectique politique. Le journalisme amateur banalise et corrompt les débats sérieux. À travers les âges, tous les théoriciens politiques, de Platon et Aristote à Edmund Burke et Hannah Arendt, se sont entendus sur le fait que céder aux impératifs des masses et à la rumeur publique est la pire chose qui puisse arriver à une société démocratique.

En 1961, le célèbre dramaturge Arthur Miller a déclaré : « Un bon journal, c'est une nation qui se parle à elle-même. » Cinquante ans plus tard, dans un contexte où la presse professionnelle perd son lectorat aux mains des blogues et des autres sites d'opinion publique, c'est un dialogue bien inquiétant que la nation se livre à elle-même. Les blogueurs et citoyens journalistes ne commencent pas leurs conversations en parlant de politique, d'économie ou de l'actualité internationale, mais en bavardant de sujets anodins – de leurs préférences en matière d'automobiles, de céréales ou d'émissions télévisées, par exemple.

Miller serait aujourd'hui devant une nation éparpillée dans le dédale numérique de Web 2.0, une nation si fragmentée qu'elle est devenue incapable de débattre quelque sujet que ce soit de façon informée et éclairée. Nous utilisons Internet non pas pour débattre les grandes questions de l'heure, mais pour approfondir notre sectarisme en communiquant avec des gens qui ont la même idéologie que nous afin qu'ils confirment nos vues partisanes. Les blogueurs se réunissent aujourd'hui sur des sites tels que Townhall.com, HotSoup.com et Pajamasmedia.com pour former des communautés d'individus mus par une même idéologie. Ces groupes de journalistes amateurs ne tarissent pas d'éloges envers eux-mêmes, se félicitant les uns les autres dans un vaste cortège de renforcement positif. Nous assistons véritablement ici à un mouvement sectaire où tous partagent le même point de vue et où les conversations se répètent de façon rassurante. Il s'agit là d'une forme fort dangereuse de narcissisme numérique.

L'éminent philosophe et sociologue européen Jürgen Habermas a récemment parlé de cette menace que Web 2.0 représente pour la vie intellectuelle en Occident :

> L'égalitarisme qui prévaut sur Internet a eu pour effet de décentraliser l'accès à l'information non éditée. Dans ce médium, les contributions des intellectuels ne sont plus employées pour créer un contexte initial permettant l'articulation d'autres idées[14].

Dans cet environnement égalitaire, l'intellectuel, qu'il soit George Bernard Shaw, Ralph Waldo Emerson ou Habermas lui-même, n'est qu'une voix stridente de plus dans la cacophonie ambiante.

En plus d'accueillir nos textes journalistiques, Internet nous permet de publier nos œuvres « littéraires » – j'emploie ici le mot dans son sens le plus large, bien entendu. Aujourd'hui, sur Internet, n'importe qui peut publier n'importe quoi. Les maisons d'édition virtuelles abondent et permettent au lecteur en mal de prose de télécharger puis d'imprimer, moyennant finances, les opus improbables d'une multitude de romanciers amateurs. Le site Blurb.com offre des services d'autopublication qui permettent aux photographes, aux blogueurs et aux écrivains non publiés de créer en un tournemain un livre virtuel. Le site d'autopublication Lulu. com est lui aussi d'une simplicité désarmante : il suffit de télécharger les fichiers, de choisir une reliure et une couverture pour que notre livre apparaisse comme par magie.

Depuis l'avènement de sites tels Blurb et Lulu, il est devenu facile et peu coûteux de publier un ouvrage à compte d'auteur, ce qui a permis à des milliers d'individus totalement dénués de talent de se payer l'illusion de la publication.

Mais à qui ces sites profitent-ils, au juste ? Sûrement pas au client puisque Lulu n'a pas su titiller l'intérêt des éditeurs professionnels. Les grandes maisons d'édition américaines publient plus de 40 000 nouveaux titres par année ; cette production foisonnante – certains éditeurs diront même excessive – devrait nous enlever l'envie de feuilleter les écrits pathétiques des centaines de milliers de romanciers, d'historiens et d'autobiographes qui sollicitent notre attention sur Internet. Au dire de John Sutherland, président du comité du Booker Prize : « Il faudrait vivre environ 163 vies pour avoir le temps de lire tous les ouvrages de fiction offerts sur Amazon. com[15]. » Et on ne parle ici que des œuvres sélectionnées, révisées et publiées par un éditeur professionnel ! Considérant la quantité énorme d'excellente littérature qui est à notre disposition, avons-nous vraiment besoin de perdre notre temps à lire les élucubrations d'auteurs amateurs qu'aucune maison d'édition ne veut publier ?

LE LIVRE LIQUIDE

Kevin Kelly veut que le livre tel que nous le connaissons disparaisse pour de bon. Du même coup, il veut éliminer les droits de propriété intellectuelle des auteurs et des éditeurs. Cet utopien de Silicon Valley se propose de numériser tous les livres déjà existants pour les réunir en un gigantesque hypertexte libre, malléable et gratuit, qui formerait une sorte de Wikipédia littéraire. Dans un manifeste publié dans le numéro de mai 2006 du magazine *New York Times*, Kelly décrit cette bibliothèque universelle comme une « version liquide » du livre traditionnel dans laquelle « tous les livres sont agglomérés, cités, indexés, analysés, annotés, fragmentés, remixés, réassemblés, puis intégrés à la culture plus profondément qu'auparavant[16] ».

Kelly n'accorde aucune importance aux auteurs dont les écrits seront agglutinés à cette utopie textuelle. Qu'il s'agisse de Dostoïevski ou des sept nains, lui, il s'en fout. « Une fois numérisés, les livres pourront être divisés en pages individuelles ou en fragments plus petits, dit-il. Ces fragments seront remixés dans un ordre différent dans des livres ou sur des rayons virtuels. » Ce que Kelly propose est l'équivalent numérique d'arracher toutes les pages de tous les livres du monde, puis d'en découper chaque ligne pour les réagencer ensuite en d'infinies combinaisons. L'exercice créera selon lui « un réseau de noms et une communauté d'idées[17] ». Je crois pour ma part qu'il annonce la mort de la culture.

Quiconque apprécie le caractère sacré de la littérature et respecte le labeur quasi monastique de l'écrivain sera outré du projet de Kevin Kelly. Et avec raison, car il y a là-dedans quelque chose d'obscène. Que sera *Crime et châtiment* si l'on en retire la scène où Raskolnikov assassine la vieille usurière ? Doit-on permettre que *Moby Dick* soit annoté et remixé de façon que le capitaine Ahab voie la baleine au tout début ? Si l'on ajoute un chapitre de Locke et un paragraphe de Kant à *La république* de Platon, pourra-t-on dire qu'il s'agit du même livre ? Une œuvre écrite, qu'elle soit littéraire ou autre, n'est pas une boîte de cubes Lego que l'on peut combiner et restructurer à sa guise.

L'utopie littéraire de Kelly représente sans doute l'apothéose du concept de l'amateur noble. Dans cette version du futur, chacun diffusera ses écrits gratuitement sur Internet. Comme il n'y aura plus de droit d'auteur, les écrivains ne recevront plus de redevances et devront donc gagner leur vie en donnant des conférences ou en vendant des produits connexes, liés à leur production littéraire.

Si cette utopie se réalise, nous serons bientôt submergés par un véritable raz-de-marée de contenu amateur. Dostoïevski devra alors définitivement céder sa place aux écrivains dilettantes. Si elle ne s'inspire pas des pratiques professionnelles de l'industrie de l'édition, la bibliothèque universelle de Kelly aura tôt fait de dégénérer en un vaste ramassis de publications à compte d'auteur, c'est-à-dire en un fouillis hypertextuel disparate et illisible. Librairies et maisons d'édition disparaîtront. Nous serons alors condamnés à lire des versions brouillonnes et disjonctées de ce que fut jadis la littérature.

Dans l'industrie du disque, certaines rock stars, dont Beck, chantent une rengaine similaire. À l'instar de Kevin Kelly, de Jimmy Wales et des autres utopiens de Web 2.0, Beck croit en la séduisante noblesse de l'amateur et compte exprimer cette idéologie en permettant à ses fans de créer des versions personnalisées de son produit. Les amateurs de Beck pourraient ainsi concevoir leurs propres livrets de CD, réécrire les paroles des chansons et remixer l'album à leur guise.

Les artistes laisseront-ils bientôt de purs amateurs faire le travail des concepteurs artistiques, des paroliers et des réalisateurs de l'industrie ? Dans une entrevue du magazine *Wired*, Beck disait trouver l'idée séduisante :

> J'adorerais faire un album que les gens pourraient éditer, mixer et agencer directement sur iTunes. Il y a quelques années, on a fait sur Internet un projet de remixage où l'on donnait les pistes d'une chanson aux gens pour qu'ils puissent mixer leur propre version. J'ai personnellement été étonné et inspiré par la variété et la qualité des mixages qu'on a reçus. Idéalement, j'aimerais que les gens puissent interagir avec ma musique, qu'ils puissent non seulement remixer les chansons, mais aussi jouer avec elles comme à des jeux vidéo[18].

Dans le même ordre d'idées, le populaire groupe torontois Barenaked Ladies a récemment lancé un concours de « remix » très particulier où les fans téléchargent les pistes de leur plus récent album, procèdent à un travail de remixage et d'édition et créent ainsi de nouvelles versions des chansons, la meilleure version étant promise à un lancement sur CD. C'est un peu comme si un chef cuisinier donnait les ingrédients d'un plat à ses convives et leur demandait de préparer le repas à sa place ; ou comme si un chirurgien laissait un amateur opérer à sa place après lui avoir donné des instructions sommaires.

Étant moi-même un amateur de musique dénué d'oreille musicale, je ne pourrais imaginer qu'on laisse à mes soins l'édition et le mixage des *Concertos brandebourgeois* de Bach. Mozart laisserait-il ses auditeurs manipuler ses opéras et ses concertos ? Peut-on imaginer une version interactive de *Blood on the Tracks* dans laquelle Bob Dylan nous permettrait de réécrire ses chansons à notre guise ? Tous ces remix et *mash-up* aboutiront inévitablement sur YouTube, et il incombera alors à nous, l'auditeur et le spectateur, de dénicher le joyau qui se cache peut-être dans ces dizaines de millions de bidouillages amateurs. Bref, encore du temps perdu.

On peut perdre en effet beaucoup de temps dans le dédale de culture fragmentée de Web 2.0, le problème étant que nous ne pouvons pas savoir d'emblée ce qui mérite notre attention. D'autant plus que le culte de l'amateur ne se limite pas à la littérature et à la musique ! Des centaines de milliers de baladodiffuseurs et d'animateurs radio en herbe produisent et diffusent, à partir de leur ordinateur, toute une programmation amateur baladodiffusable. Les blogues vidéo sont la coqueluche du moment. Quiconque possède un ordinateur, une webcam et un micro peut désormais devenir une star instantanée sur les réseaux de vidéos amateurs tels YouTube et Bebo. Qu'est-ce qu'ils vont inventer après ça? Certains annoncent déjà la venue de la « wiki-télévision », laquelle permettra aux amateurs de télé de soumettre du contenu qui sera intégré à leurs émissions favorites.

La technologie actuelle nous permet de diffuser quasi instantanément sur Internet tout ce que nous faisons ou disons. Parmi ce pullulement de contenu amateur, y a-t-il vraiment des choses qui valent la peine d'être regardées?

LE PUBLICISTE AMATEUR

Le culte de l'amateur menace même le monde du design, de la mode et de la publicité. Dans le numéro d'octobre 2006 de la revue *Fast Company*, j'ai discuté de la démocratisation du design avec le célèbre designer Joe Duffy, fondateur de Duffy Designs. Ce dernier soutenait que chacun de nous pouvait et devait être un designer. « Plus il y aura de gens qui participeront au monde du design, plus la demande et l'enthousiasme seront grands dans ce domaine[19] », d'affirmer Duffy.

Ce raisonnement est fautif dans la mesure où les produits de luxe, notamment les vêtements, automobiles et équipements électroniques haut de gamme, maintiennent leur valeur non seulement par la qualité de leur design et de leur conception, mais aussi par l'aura de mystère et de rareté qu'ils dégagent. Cette participation démocratique au monde du design que prône Duffy diminuerait selon moi la valeur des vraies innovations. Les chefs-d'œuvre de stylisme sont-ils si faciles à créer? Le diable s'habille peut-être aujourd'hui en Prada, mais demain, si l'utopie de Duffy se réalise, nous porterons tous des copies Prada de notre propre cru.

Des entreprises comme Wal-Mart ont déjà commencé à capitaliser sur le culte que nous vouons actuellement à l'amateur en lançant une initiative qui lui a rapporté rien de moins qu'une campagne de publicité gratuite. En juillet 2006, par l'entremise du Hub, son réseau communautaire virtuel, Wal-Mart invitait tous les élèves de niveau secondaire à soumettre des vidéos de publicités personnalisées. Les meilleures pubs amateurs produites dans le cadre de cette initiative que Wal-Mart a baptisée *School My Way* – l'école à ma façon – étaient destinées à être diffusées à la télé. Cette stratégie de marketing élaborée par le géant des bas prix et coparrainée par Sony représente une autre façon de célébrer le culte de l'amateur. Par-delà les économies qu'elles font réaliser aux entreprises, les pubs amateurs ont l'avantage d'un plus grand réalisme. Plus crue et moins léchée que la publicité professionnelle, la pub amateur semble plus « réelle », plus vraie aux yeux du consommateur.

Wal-Mart n'est pas le seul à exploiter ce filon : Nike, MasterCard, Toyota, L'Oréal, Cingular, Nestlé et American Express ont eux aussi lancé des concours de publicités produites par le consommateur.

Avec ses quelque 100 millions de téléspectateurs, le Super Bowl est un événement de premier plan dans l'industrie de la publicité – c'est là qu'ont été lancées les campagnes les plus originales, les plus coûteuses et les plus ambitieuses de l'histoire de la pub[20]. Au Super Bowl de 2007, Frito-Lay, Chevrolet, Diamond Foods et la Ligue nationale de football ont tous fait passer des messages publicitaires de 30 secondes produits par des amateurs.

Ce genre de pratique a des conséquences désastreuses pour l'industrie de la publicité. Prenons par exemple le concours qui a permis à Frito-Lay de se dénicher une pub amateur pour ses croustilles de maïs Doritos. Selon l'Association américaine des agences de publicité, il en coûte en moyenne 381 000 $ pour produire professionnellement un message de 30 secondes. Or, Frito-Lay n'a payé que 50 000 $ pour sa campagne publicitaire du Super Bowl 2007, soit un prix de 10 000 $ pour chacun des cinq finalistes du concours. Une économie de 331 000 $ pour Frito-Lay, mais un manque à gagner équivalent pour les concepteurs, réalisateurs, comédiens et autres professionnels de l'industrie de la publicité.

Une agence de marketing du nom de ViTrue a élaboré un nouveau modèle de fonctionnement basé sur la production amateur : cette agence de l'Atlanta permet au consommateur de créer, de produire et de télécharger ses propres vidéos publicitaires. La plus récente campagne publicitaire d'un des premiers clients de ViTrue, la chaîne de restaurants Moe's Southern Grill, est destinée à être produite par des vidéastes amateurs. Aux créateurs de la meilleure pub, Moe's promet des burritos gratuits pour le restant de leur vie.

En plus de manipuler nos cordes sensibles, les publicités créées par des amateurs privent de travail les professionnels talentueux du milieu de la pub. Ce que le publiciste amateur ne comprend pas, c'est qu'il est en train de vendre le fruit de son labeur créatif aux grosses entreprises pour une bouchée de pain – ou de burrito, le cas échéant.

Tous les métiers nécessitent un certain degré de formation et d'éducation : médecins, avocats, ingénieurs et journalistes ont fait des années d'études avant d'obtenir leur diplôme. Tout professionnel sérieux qui se dévoue à une carrière sait qu'il ne réussira que s'il travaille sans relâche, sans compter sa peine. Un musicien doit passer tout au long de sa carrière d'innombrables auditions au cours desquelles il sera appelé à prouver ses compétences. Un écrivain professionnel met des années à perfectionner son art dans l'espoir que son talent sera reconnu par des agents, des éditeurs et des critiques littéraires – et par ses lecteurs et lectrices, bien entendu. Les professionnels de l'industrie du cinéma travaillent de longues heures durant, sous une pression constante, soumis à des échéanciers impossibles, tout cela dans le but de créer un produit susceptible de générer des profits dans une industrie où les coûts sont élevés et le succès, imprévisible. Le vidéaste amateur peut-il vraiment espérer faire mieux avec les moyens et compétences extrêmement limités dont il dispose ?

Glenn Reynolds, auteur du blogue Instapundit, prétend que nous amorçons ce qu'il appelle « le Siècle de l'amateur ». Selon lui, la technologie conférera bientôt à chaque individu des pouvoirs traditionnellement réservés « aux États-nations, aux superhéros de bandes dessinées et aux dieux ». Reynolds ajoute que les journalistes et musiciens amateurs acquerront alors « l'intelligence des dieux » et que le savoir du commun des mortels s'étendra même aux domaines de la médecine, de la nanotechnologie et de l'aérospatiale[21].

Nous verrons au prochain chapitre que la glorification de l'amateur a un effet corrosif sur la véracité, l'exactitude et la fiabilité de l'information que nous recevons. Vous croyez que j'exagère ? C'est ce que nous allons voir.

CHAPITRE 3

Mensonge et vérité

P as un jour ne s'écoule sans qu'une nouvelle révélation vienne remettre en question l'exactitude, la véracité et la crédibilité de l'information que l'on trouve sur Internet. On apprend tantôt que telle page personnelle sur MySpace ou Facebook est une publicité déguisée pour découvrir ensuite que tel clip populaire sur YouTube a été produit par une entreprise dans le but de manipuler l'opinion publique. Chaque semaine un nouveau scandale vient éroder la confiance que nous avons en l'information que nous glanons sur Internet.

Les contenus rédigés par l'utilisateur sont souvent trompeurs. Sans la présence de réviseurs, de vérificateurs, d'administrateurs ou de régulateurs, il est impossible de certifier la justesse ou la crédibilité du contenu qu'on lit sur des sites tels que Xanga, Six Apart, Veoh, Yelp ou Odeo. Sur ce genre de sites, il n'y a personne pour départager la vérité et le mensonge, le contenu personnel et la publicité, l'information légitime et le communiqué trompeur ou erroné. Les citoyens de la blogosphère ont une propension à réinventer notre histoire et à faire circuler des rumeurs en leur donnant la patine de la vérité. Comment distinguer en ce cas le vrai du faux? À qui peut-on faire confiance dans un environnement pareil?

QUAND LA FICTION DÉPASSE LA RÉALITÉ
En septembre 2006, on retrouvait sur la version allemande de YouTube un clip qui semblait tiré de *Tagesschau*, le bulletin d'informations le plus respecté d'Allemagne. Dans ce clip en apparence authentique, un téléreporter annonçait qu'un parti politique néonazi avait récolté 7,3 % des voix aux

récentes élections dans le Mecklembourg-Poméranie occidentale, ce qui lui assurait une place au Parlement régional.

La plupart des gens qui ont visionné le clip se sont dits atterrés d'apprendre cette nouvelle. Seuls les plus observateurs d'entre eux se sont rendu compte qu'il s'agissait d'un canular : dans le coin supérieur droit de l'image, le logo du studio Das Erste, habituellement présent durant la diffusion de *Tagesschau*, avait été remplacé par le soleil noir aux trois croix gammées qui est le symbole des néonazis en Allemagne.

Ce pastiche de la populaire émission d'actualités était effectivement une supercherie élaborée par le Parti national-démocrate d'Allemagne (NPD) en prévision du lancement d'un « bulletin de nouvelles » hebdomadaire sur Internet, émission qui serait pour le parti d'extrême droite un outil de recrutement et de propagande néonazie.

Dans l'univers de Web 2.0, réalité et vérité ne sont bien souvent que chimères.

La version américaine de YouTube n'a rien à envier à son homologue germanique. En novembre 2006, durant la campagne électorale législative, une publicité dans laquelle le candidat républicain Vernon Robinson attaquait haineusement son adversaire, le démocrate Brad Miller, fut l'un des clips les plus écoutés sur YouTube. La pub de Robinson, candidat au Congrès pour la Caroline du Nord, affirmait que Miller « préfère financer des études sur les habitudes de masturbation des vieillards plutôt que d'investir dans la recherche sur le cancer ». Mais les choses n'en restaient pas là. Le message publicitaire disait ensuite : « Brad Miller utilise l'argent du contribuable pour financer des études où des adolescentes regardent des films pornographiques avec des électrodes branchées aux organes génitaux ! »

Critiqué pour sa campagne de médisance, Robinson affirmait n'avoir jamais approuvé la diffusion de la vidéo. « Nous n'avons jamais sorti ça sur YouTube, dit-il lors d'une entrevue avec le commentateur politique Sean Hannity. C'est quelqu'un d'autre qui l'a mis là. »

Piètre excuse que cela. À l'ère de Web 2.0, il suffit d'évoquer YouTube pour justifier les stratagèmes politiques, les mensonges et les tactiques diffamatoires les plus répréhensibles. Dire « quelqu'un l'a mis sur YouTube » est l'équivalent de l'écolier qui dit à son institutrice : « J'avais fait mon devoir, mais mon chien l'a mangé. »

YouTube a un potentiel propagandiste indéniable. La défaite de l'ex-sénateur du Montana Conrad Burns aux élections de 2006 est en grande partie imputable à la propagande négative disséminée à son sujet sur

YouTube. Un clip très populaire montrait Burns sur le point de s'assoupir durant une audience parlementaire ; dans un autre, il se moque aux dépens du « gentil petit jardinier guatémaltèque » qui s'occupe de sa résidence en Virginie. Dans un troisième clip, il évoque la menace terroriste et enjoint ses concitoyens à la vigilance vis-à-vis de tous ces « chauffeurs de taxi qui se changent en meurtriers une fois la nuit tombée ».

Bien qu'on ne puisse pas dire que ces clips sont mensongers – après tout, Burns a bel et bien commis ces maladresses –, on ne peut pas non plus affirmer qu'ils sont le reflet exact de la vérité. Ces vidéos peu flatteuses de Burns ont été publiées sur YouTube par Arrowhead77, pseudonyme utilisé par deux collaborateurs de Jon Tester, l'adversaire démocrate de Conrad Burns. Les clips ont en réalité été produits entre avril et octobre 2006 par un employé de Tester qui a suivi Burns caméra au poing tout au long de sa campagne électorale, avec pour mission d'enregistrer la moindre bévue.

De par sa nature même, YouTube permet ce genre de fourberie. Comme il n'y a aucune vérification du contenu, n'importe qui, du propagandiste néonazi au stratège politique, peut publier anonymement des clips trompeurs, manipulateurs ou hors contexte. Durant la course sénatoriale de 2006, les démocrates ont exploité à outrance la bourde du candidat virginien George Allen qui a maladroitement affublé un jeune Américain d'origine tunisienne du pseudonyme « macaca », qui se voulait sans doute un dérivé rigolo de « macaque ».

Aujourd'hui en Amérique, alors que la campagne électorale de 2008 bat son plein, des milliers de vidéastes amateurs, émules d'Arrowhead77, polissent fiévreusement la lentille de leur caméra dans l'espoir de capter les lapsus et maladresses des candidats à la présidence. La démocratisation des médias telle que l'ont promulguée les pontes de Web 2.0 est en train d'avilir la pensée politique d'une nation entière au profit d'un culte de la gaffe propre aux journaux à sensations et aux paparazzi. Il est inquiétant de penser qu'une blague mal placée ou une remarque maladroite lancée à la fin d'une épuisante journée de campagne électorale puisse compromettre la crédibilité d'un politicien et totalement occulter le sérieux de son message.

Au bout du compte, c'est nous qui faisons les frais de la campagne de désinformation qui se joue sur Internet. En tant que citoyens et électeurs, nous ne savons plus qui dit la vérité et qui mérite notre confiance, ce qui nous empêche de voter de façon éclairée. Dans le pire des cas, nous nous désintéressons de la politique au point de ne plus vouloir voter.

YouTube infantilise le processus politique et menace notre esprit civique en réduisant à néant notre discours public. L'avenir de nos gouvernements est désormais entre les mains de vidéastes amateurs qui, par l'entremise de YouTube, influencent l'opinion publique à coups de clips de 30 secondes.

LE « COMPLOT » DU 11 SEPTEMBRE

En 2005, trois jeunes aspirants cinéastes d'Oneonta, dans l'État de New York, ont décidé de réaliser un « documentaire » sur les attaques du 11 septembre 2001 avec les 2000 $ qu'ils avaient économisés en travaillant au magasin de crème glacée du village. Conçu à l'origine comme une œuvre de fiction, le documentaire qu'ils ont produit et qui a pour titre *Loose Change* postule que les attaques terroristes du 11 septembre ont été orchestrées et exécutées par le gouvernement américain lui-même.

Collage improbable de citations hors contexte et de bribes de reportages dont l'authenticité fut finalement réfutée, *Loose Change* présente une version grossièrement déformée des faits. Les « révélations » se succèdent, plus étonnantes les unes que les autres : un des terroristes qui se trouvait à bord du vol 11 aurait été retrouvé vivant après l'écrasement, non loin du désormais défunt World Trade Center ; le vol 93 de la United Airlines ne se serait pas écrasé dans un champ en Pennsylvanie, mais aurait plutôt été redirigé vers l'aéroport de Cleveland. Toujours selon *Loose Change*, ce serait la détonation d'explosifs expertement placés qui aurait fait s'écrouler les tours du World Trade Center, et non l'impact des deux avions de ligne.

Publié sur Internet au printemps 2005, *Loose Change* a atteint la première position du « Top 100 » des vidéos de Google en mai 2006. Le film des trois jeunes vendeurs de crème glacée d'Oneonta avait généré pas moins de dix millions de visionnements durant l'année[1], ce qui signifiait que plus de dix millions de personnes avaient désormais une vision faussée de l'un des événements les plus catastrophiques de l'histoire américaine.

Les assertions présentées dans *Loose Change* ont été complètement discréditées dans le rapport final de la Commission nationale sur les attaques terroristes contre les États-Unis, rapport que la Commission a mis deux ans à rédiger au coût de 15 millions de dollars. Qui doit-on croire : trois cinéastes amateurs dans la vingtaine qui n'ont même pas complété leurs études collégiales ; ou une équipe de spécialistes comprenant deux gouverneurs, quatre députés, trois ex-représentants de la Maison-Blanche, deux conseillers spéciaux et plusieurs enquêteurs chevronnés ? Les trois auteurs de *Loose Change* ont utilisé la technologie d'autopublication de Web 2.0 pour diffuser une interprétation fausse et révisionniste d'un événement historique dans lequel des milliers d'Américains ont perdu la vie et qui a provoqué une véritable insurrection de l'Occident contre l'Islam.

Certains diront que *Loose Change* n'est manifestement rien de plus qu'un canular inoffensif, toutefois Internet regorge de mystifications du genre. Or, dans bon nombre d'entre elles, la supercherie est beaucoup plus difficile à détecter. Comment différencier le vrai du faux dans le dédale trompeur de Web 2.0? Cette personne inconnue qui publie une annonce sur Internet ou qui nous envoie un courriel rigolo est-elle vraiment aussi franche et sympathique qu'elle le laisse supposer ou s'agit-il d'un escroc ou d'un prédateur sexuel?

ARNAQUEURS ET POLLUPOSTEURS

Nous avons tous reçu des courriels de cet entrepreneur nigérian qui affirme que nous deviendrons vite millionnaires si nous investissons dans sa compagnie pétrolière. Et que dire de ces courriels issus d'une adresse inconnue qui nous demande notre numéro de carte de crédit à des fins de vérification? Les escroqueries et autres manœuvres frauduleuses sont de plus en plus difficiles à détecter dans cette mer de pourriels qui nous inonde.

Le *pump and dump* est l'une des fraudes financières les plus répandues aujourd'hui sur Internet. L'arnaque consiste à lancer une campagne de promotion par l'envoi de millions de pourriels qui vantent les mérites d'actions cotées à quelques sous seulement. Les personnes contactées achètent les titres en si grand nombre que cela fait monter leur prix. Quelques jours plus tard, quand le prix a plafonné, les polluposteurs liquident leurs actions, le titre s'effondre et les investisseurs dupés accusent des pertes importantes.

Le cas de la Diamant Art Corporation est un scénario classique de *pump and dump*. Le vendredi 15 décembre 2006, à la clôture de la Bourse, l'action de la société était cotée à 11 cents. Tout au long du week-end, un réseau zombie a envoyé des millions de messages non sollicités disant que le titre allait monter en flèche. Le lundi suivant, le prix est monté à 19 cents l'action pour finalement plafonner à 25 cents. Les polluposteurs ont alors vendu leurs actions en empochant un joli bénéfice. Le mercredi 20 décembre, le titre de la Diamant Art ne valait plus que 12 cents[2].

Dans une autre arnaque populaire, des pirates informatiques prennent le contrôle de milliers d'ordinateurs personnels pour former des « réseaux zombies » sur lesquels ils achemineront leurs pourriels. Pionnière en matière de filtres antipourriels, l'entreprise Secure Computing estime que 250 000 ordinateurs sont transformés chaque jour en zombies à l'insu de leur propriétaire.

SEXE ET RUMEURS SUR INTERNET

En septembre 2006, un internaute de Seattle du nom de Jason Fortuny a placé une annonce dans la section « rencontres occasionnelles » de Craigslist en se faisant passer pour une femme en quête d'aventures sexuelles. Fortuny a reçu 178 réponses qu'il a promptement publiées sur son site Internet. Tous les détails y étaient, incluant les noms et photos, parfois dans le plus simple appareil, des hommes qui ont répondu à l'annonce – on dévoilait même dans certains cas l'identité des épouses.

La mauvaise blague de Jason Fortuny a ravagé des vies. Des mariages, des familles ont été déchirés à cause de lui ; des réputations ont été inutilement souillées et des carrières annihilées. Les individus qui cherchaient à tromper leur épouse ont sans doute eu ce qu'ils méritaient, mais certains des hommes qui ont répondu à l'annonce ne voulaient peut-être rien de plus qu'un peu de compagnie, une personne à qui parler.

L'affaire Fortuny illustre bien les dangers inhérents à ce médium non contrôlé qu'est Internet. En quelques clics de sa souris, Jason Fortuny s'est forgé une fausse identité et a exposé au grand jour les victimes de son imposture. Le cyberespace est bourré de canulars de ce genre, de blagues malhonnêtes et blessantes. L'ironie dans tout cela, c'est que ce sont souvent les individus qui convoitent l'anonymat d'Internet qui sont les dindons de la farce. Certains se servent de cet anonymat comme d'une arme et d'autres, comme d'un bouclier.

Les mensonges et rumeurs qui sont diffusés sur Internet ont terni bien des réputations et ruiné bien des carrières. Durant l'été de 2005, une dénommée Julie a publié une histoire horrible sur le site dontdatehimgirl.com, un forum de discussion électronique qui invite les femmes éconduites à relater les tares de leurs ex-petits amis. Sur le site, Julie raconte qu'un individu nommé Guido l'avait récemment saoulée, violée et sodomisée en lui communiquant une infection transmise sexuellement. À la suite de cette expérience humiliante, elle avait plongé dans une profonde dépression et avait tenté de se suicider.

Cette tragique histoire, qui était accompagnée de la photo du prétendu agresseur, a été lue par plus de 1000 visiteurs. « Ce fumier mérite la prison, écrivit l'un d'eux. Il faut faire circuler sa photo partout pour que tout le monde sache ce qu'il a fait. »

Un individu qui aurait commis un acte aussi horrible mériterait certes d'être traîné devant les tribunaux, mais dans le cas de Julie il y avait un hic : son histoire était une pure fabrication. Non seulement la jeune femme avait-elle employé un nom d'emprunt, mais elle avait aussi utilisé la photo d'un ami, Erik, pour représenter le Guido en question. L'auteur de cette sordide histoire avouera finalement avoir publié la chose sur Internet pour faire une blague à son ami[3].

Sur les sites qui ne procèdent à aucune vérification de leur contenu, chacun peut écrire ou dire ce qu'il veut sans avoir à prouver quoi que ce soit – les utilisateurs de dontdatehimgirl.com sont tenus de cocher une case pour confirmer la véracité de leurs dires, ce qui est une mesure bien insuffisante, avouons-le. Les contributions anonymes y sont encouragées, si bien que chacun peut mentir, exagérer ou inventer en toute tranquillité. Se confiant au *Miami New Times*, « Julie » a reconnu qu'il y avait là un réel danger : « Sur Internet, on peut salir la réputation d'un gars en toute impunité, dit-elle… J'imagine que la majorité des "histoires" qui sont publiées sur ce genre de site sont complètement fausses. »

Les médias traditionnels doivent se soumettre à la Loi sur la diffamation qui protège les gens contre de telles atteintes à leur réputation. Dans le réseau tentaculaire d'Internet, où anonymat et imposture sont monnaie courante, ce genre de loi est particulièrement difficile à appliquer. Todd Hollis, un avocat de la Pennsylvanie, a découvert sur dontdatehimgirl.com plusieurs messages diffamatoires le concernant – on disait entre autres de lui qu'il avait l'herpès, qu'il était gai et qu'il communiquait sciemment à d'autres personnes des maladies transmises sexuellement. Hollis a promptement intenté une poursuite contre les auteurs de ces propos diffamatoires, de même que contre le site pour son rôle en tant que « diffuseur secondaire d'information mensongère ». La publicité qui a entouré l'affaire a eu des conséquences négatives pour l'avocat qui tentait de restaurer sa réputation puisque cinq nouveaux messages mensongers ont ensuite été publiés à son sujet sur dontdatehimgirl.com. Pris ensemble, ces profils peu flatteurs ont été visionnés plus de 50 000 fois[4].

Un autre avocat, Rafe Banks, a poursuivi un ancien client qui l'a attaqué sur son blogue. Irrité du fait que Banks ne lui avait pas remboursé une somme de 3 000 $ en honoraires, l'ex-client a accusé Banks de soudoyer des juges pour qu'ils innocentent les dealers de drogue qui figurent parmi sa clientèle, menaçant l'avocat d'autres allégations diffamatoires s'il ne le remboursait pas. Banks a poursuivi le client injurieux et a eu gain de cause, néanmoins sa réputation professionnelle fut ternie de façon irréparable[5].

Les propriétaires de journaux et de réseaux de nouvelles sont légalement responsables des déclarations que font leurs chroniqueurs, journalistes et reporters ; par conséquent, ils astreignent ceux-ci à des normes éthiques très strictes et les encouragent à vérifier scrupuleusement la véracité de ce qu'ils écrivent dans leurs journaux ou disent sur les ondes. Les propriétaires de sites

Internet, par contre, ne sont pas responsables du contenu publié par une tierce personne. Certains prétendent que cela protège le droit de parole, mais à quel prix? Tant que les propriétaires de blogues et de sites Internet ne seront pas tenus responsables de l'information publiée sur leurs sites, ils ne seront pas motivés à jauger ni à vérifier cette information.

Sur Internet, il suffit d'une seule publication erronée, d'un seul article de forum malavisé pour que les rumeurs et la désinformation se répandent telle une traînée de poudre. Dans un essai intitulé *Personal Errata*[6], Amy Tan, auteur du roman à succès *Le Club de la chance*, décrit comment des faits inexacts concernant ses antécédents, sa vie privée et sa carrière se sont propagés dans le cyberespace tant et si bien qu'ils en sont venus à s'insérer dans sa biographie officielle. Selon cette révision farfelue de son existence, Amy Tan aurait étudié dans huit collèges différents, aurait été mariée plusieurs fois et aurait élevé deux enfants, vivrait dans un manoir à Silicon Valley et aurait été lauréate du prix Pulitzer et du prix Nobel de littérature. Dans les faits, la célèbre romancière vit dans un appartement à San Francisco, elle n'a convolé qu'une seule fois en justes noces, n'a pas d'enfants et n'a pas encore à ce jour remporté le Pulitzer ou le prix Nobel.

Puisque personne ne met en doute la véracité des informations que l'on retrouve sur Internet, les erreurs, mensonges et rumeurs y prolifèrent comme de la mauvaise herbe.

Avant Web 2.0, le savoir collectif était un agrégat de faits minutieusement vérifiés par des professionnels de l'édition et des médias d'information. Maintenant que l'information est numérisée, démocratisée, offerte universellement et en permanence, le médium de référence (Internet) est devenu incroyablement vulnérable à la corruption et à la désinformation. Notre banque d'information collective est maintenant truffée d'erreurs, percluse de la malfaisance des fraudeurs, des vandales et des mystificateurs. Et l'épidémie se propage à une vitesse folle, chaque blogue étant lié à une infinité d'autres blogues, chaque page de MySpace étant liée à une infinité d'autres pages de MySpace qui renvoient en retour à une infinité de clips de YouTube, d'articles de Wikipédia et de sites Internet de tout acabit. Non seulement sommes-nous impuissants à juguler cette épidémie de désinformation, mais nous sommes incapables d'en identifier la source. Toute notre mémoire collective s'en trouve faussée.

LA BALADE DES FAUX-NEZ

Dans l'anonymat de Web 2.0, ce n'est pas seulement l'information elle-même, mais aussi la source de cette information qu'on doit mettre en doute.

Internet est truffé de fausses identités, de faux blogueurs, de faux profils sur MySpace, de fausses starlettes sur YouTube, de fausses adresses de courriel, de fausses critiques sur Amazon.com (dont certaines sont manifestement le produit d'une vengeance personnelle).

Les fausses identités sont devenues si courantes sur Internet qu'on leur a donné un nom : on les appelle les « faux-nez ». Plus précisément, le terme faux-nez désigne l'avatar qu'emploie un utilisateur pour s'exprimer sur un blogue ou dans la cybercommunauté.

Mikekoshi et sprezzatura sont des exemples classiques du genre. Le premier est le faux-nez employé par Michael Hiltzik, un journaliste de renom qui, ironiquement, a remporté le prix Pulitzer de journalisme en 1999 pour ses reportages sur la corruption dans l'industrie du spectacle. Hiltzik, qui a signé jusqu'en avril 2006 le blogue Golden State du *Los Angeles Times*, est un libéral assumé qui aime soulever la polémique et croiser le fer avec les blogueurs conservateurs, mais il a failli à son intégrité journalistique en adoptant le pseudonyme Mikekoshi pour défendre ses vues et son propre travail sur les sites de ses adversaires.

Éditeur à la revue *New Republic* et récipiendaire du Prix national des critiques de magazine en 2002, Lee Siegel s'est lui aussi inventé une cyberidentité pour défendre ses vues en catimini sur Internet : il employait le faux-nez « sprezzatura », qui veut dire « nonchalance » en italien, pour attaquer les médias libéraux. Sprezzatura est même allé jusqu'à publier des remarques explosives sur le blogue de Siegel ! Quand certains l'ont accusé d'être sprezzatura, Siegel, poussant la supercherie à son comble, a catégoriquement nié la chose[7].

Hiltzik et Siegel ont été suspendus temporairement par leurs employeurs respectifs parce qu'ils ont violé l'éthique journalistique en s'exprimant par le truchement de fausses identités – les directives éthiques du *Los Angeles Times*, par exemple, stipulent clairement que leurs reporters et rédacteurs doivent s'identifier dans toute communication au public. Les mystifications de ce genre étaient rares avant l'avènement de Web 2.0. Dans les médias d'information traditionnels, l'anonymat n'existe pas. Les articles, les chroniques, même les pages contre-éditoriales sont signées, si bien que reporters et collaborateurs sont responsables du contenu qu'ils ont créé. Cette responsabilisation les oblige à respecter les normes éthiques de leur profession et rassure le public quant à la justesse de l'information qu'on lui communique. Un collaborateur qui signe un contre-éditorial alors qu'il travaille pour un parti politique ou pour un organisme partisan doit informer le lecteur de ses affiliations ou de ses allégeances, sinon il risque d'y avoir conflit d'intérêts. Un reporter qui se présente sous un faux jour ou déforme les faits risque d'être réprimandé, voire congédié, ce qui a été le cas de Jayson Blair du *New York Times*.

L'univers anonyme de la blogosphère n'offre pas de telles garanties de fiabilité.

Les faux-nez sont également légion sur YouTube. Les mystifications donnent lieu dans certains cas à des intrigues dignes d'un roman policier. À preuve la fameuse histoire de lonelygirl15, star d'une série de vidéos prétendument faits maison qui relatent la vie solitaire et angoissée d'une adolescente de 16 ans. Au fil du temps, certains spectateurs ont remarqué que les vidéos amateurs de lonelygirl15 avaient la facture d'une production professionnelle, ce qui eut l'heur de soulever des questions quant à la véritable identité de leur héroïne. Sur les blogues, la spéculation allait bon train. Certains disaient que YouTube avait produit les vidéos pour augmenter son achalandage ; d'autres soupçonnaient qu'ils étaient l'œuvre de la Creative Artists Agency, la célèbre agence artistique de Beverly Hills. Dans un article de la revue *Business Week*, le journaliste Jon Fine se demandait s'il n'y avait pas quelque secte millénariste ou scientologique derrière tout ça[8].

Le débat entourant l'authenticité des vidéos a suscité tant d'intérêt que lonelygirl15 est rapidement devenue la deuxième chaîne la plus regardée de YouTube, attirant des centaines de milliers de spectateurs.

On apprendra après coup que la série était la création d'un scénariste et d'un cinéaste de la Californie, qui ont avoué par la suite que Bree, la vedette adolescente de la série, était en réalité une actrice australienne dans la vingtaine du nom de Jessica. Les deux créateurs disent avoir produit ces vidéos à titre expérimental pour explorer « une nouvelle forme artistique » et espèrent faire un film à partir des clips scénarisés.

Les confessions de cette adolescente qui n'en est pas une n'étaient au fond qu'une autre duperie dont Web 2.0 a le secret. Encore une fois, cela nous amène à douter de l'information qu'on retrouve sur Internet. C'est à se demander s'il y a quelque chose sur YouTube ou dans la blogosphère qui ne soit pas de la pub ou de la fiction déguisée en vérité.

Howard Kurtz du *Washington Post* résumait ainsi le vaste canular de lonelygirl15 :

> Ce qu'il y a de merveilleux avec Internet, c'est qu'une adolescente solitaire de 16 ans peut s'attirer un gros auditoire en y exprimant ce qu'elle vit et ce qu'elle ressent. Ce qu'il y a d'exaspérant avec Internet, c'est que la fille n'est peut-être pas solitaire et n'a peut-être pas 16 ans[9].

Tout cela révèle une faille fondamentale des sites à contenu produit par l'utilisateur, à savoir qu'on ne sait jamais si ce qu'on y voit ou ce qu'on y lit est vrai. Internet permet et même encourage l'emploi de fausses identités, pourtant personne ne se demande pourquoi tous ces gens cherchent à cacher qui ils sont et quelles sont leurs affiliations. Certains d'entre nous voudraient en savoir un peu plus sur les individus avec qui nous communiquons, mais comme le dit si bien Jack Shafer, critique médiatique sur Slate.com : « Le problème, c'est qu'il y a maintenant trop d'endroits où se cacher. »

L'ACTUALITÉ TRAFIQUÉE

Certains estiment que Web 2.0, et la blogosphère en particulier, représente un retour au dynamique intellectualisme démocratique qui prévalait dans les cafés de Londres au XVIIIᵉ siècle, mais le fait est que Samuel Johnson, Edmund Burke et James Boswell ne se cachaient pas derrière de fausses identités lorsqu'ils débattaient ensemble leurs idées. Que ce soit sur Internet ou dans la vie de tous les jours, on ne peut pas dire que l'être humain soit foncièrement honnête. C'est ce qui fait qu'on ne se comporte pas toujours avec franchise et droiture quand on se retrouve dans un médium ouvert qui ne fait l'objet d'aucune réglementation.

La confiance est un élément-clé de toute communauté. Tous les théoriciens du contrat social, de Hobbes à Locke en passant par Jean-Jacques Rousseau, reconnaissent qu'il ne peut y avoir d'entente politique pacifique sans la présence d'un pacte commun. Dans son ouvrage *Nations et nationalisme*, Ernest Gellner soutient qu'il ne peut y avoir contrat social que quand les individus partagent une même langue, une même culture et une même vision du monde. L'homme moderne est socialisé par ce que les anthropologues appellent la « haute culture ». Gellner dit que nous puisons notre identité culturelle et communautaire dans les journaux, les revues, les livres, le cinéma et la télévision. C'est à travers ces médias traditionnels que s'échafaudent notre cadre de référence commun, notre discours commun et nos valeurs communes.

Dans *L'imaginaire national*, Benedict Anderson explique que les communautés modernes se forment autour d'une mythologie commune et d'un narratif quotidien partagé. Dans un monde où le discours national est véhiculé anonymement par des individus narcissiques qui refusent de dévoiler leur véritable identité, la « communauté imaginée » d'Anderson sombrera dans une forme d'anarchie.

Web 2.0 exacerbe par ailleurs la dichotomie qui existe déjà entre la vérité et la politique, milieu dans lequel la vérité est une notion toute relative. Le mensonge a pris l'accent de la vérité en janvier 2007 quand le site Insight, reliquat d'un défunt magazine appartenant à l'Église de l'Unification, a publié un article erroné qui constituait, au dire du *New York Times*, le premier acte diffamatoire anonyme de la campagne présidentielle de 2008. Le journaliste d'Insight – un reporter anonyme qui citait des sources anonymes – écrivait que l'équipe de la sénatrice Hillary Clinton était en train d'échafauder une campagne de salissage contre son rival dans la course à la présidence du parti démocrate, Barack Obama. Selon l'article, le camp Clinton voulait accuser Obama d'avoir caché le fait qu'il avait fréquenté une école religieuse islamique durant son enfance.

Bien que ces allégations aient été promptement discréditées par les deux candidats démocrates, et en dépit du fait qu'elles n'aient été corroborées par aucun média d'information et qu'aucune des sources citées n'a pu être identifiée, le réseau Fox News s'est emparé de la nouvelle. L'article mensonger a fait sensation aux bulletins de nouvelles du matin et dans les tribunes radiophoniques.

Il est profondément désolant de constater que des médias d'information réputés puissent s'emparer ainsi de rumeurs concoctées sur Internet par des reporters amateurs et anonymes, et qu'ils leur confèrent de la crédibilité en les diffusant. Ralph Whitehead, fils, professeur de journalisme à l'Université du Massachusetts, a dit à ce sujet au *New York Times* : « Si vous voulez un modèle d'entreprise apte à semer la pagaille à grande échelle, ne cherchez plus, c'est celui-là. »

Quand Charles Johnson, un fanatique, collaborateur au blogue pro-israélien Little Green Footballs, a découvert une photo altérée d'une scène de guerre prise à Beyrouth par Adnan Hajj, un photographe de l'agence Reuters, des dizaines de milliers de personnes en ont conclu que les médias traditionnels étaient pro-Hezbollah, pro-Syriens et pro-terroristes. En manipulant la scène photographiée et, par la suite, la photo elle-même, le reporter de Reuters violait carrément les principes d'objectivité et de vérité du journalisme et fut dûment chapitré par Reuters, une illustre agence de presse établie depuis plus de 155 ans. À la suite d'une enquête approfondie, Reuters a congédié le photographe et son éditeur et a retiré de son site Internet les 920 photos que Hajj avait prises tout au long de sa carrière. Soucieuse d'éviter à l'avenir de tels travestissements de la vérité, l'agence a obligé tous les membres de son personnel, incluant les photographes pigistes, à signer une version révisée de son code de déontologie[10].

Les mécanismes du journalisme professionnel ont joué ici en faveur de la vérité, mais qu'en est-il des dizaines de milliers de clips de YouTube sur lesquels on peut voir des Libanais et des Libanaises errer parmi les ruines de Beyrouth en tenant des bébés morts dans leurs bras? Sur ce site sans code de déontologie et sans responsabilité légale, un site dont les collaborateurs et propriétaires n'ont pas à craindre de sanction disciplinaire et où l'information n'est pas filtrée, comment savoir si ces images n'ont pas été altérées? Un reporter du *Washington Post* a dit que YouTube est « un dépotoir à vidéos accueillant un bazar désorganisé d'images[11] ». Pour chaque Adnan Hajj qui sévit dans les médias traditionnels, il y a des centaines de polémistes amateurs qui diffusent leurs mensonges et leur propagande sur Internet.

Web 2.0 fait passer la libre expression avant l'analyse et le raisonnement. Dans le dédale des blogues et au fond du dépotoir de YouTube, on a droit à un cortège infini d'informations abrutissantes et sensationnalistes à l'authenticité douteuse. Et d'ailleurs, quelle est la valeur d'une information qui n'a pas été interprétée et commentée par un expert? Une photo d'un Libanais assassiné ou d'un bébé israélien mort ne nous aide pas à saisir toute la complexité du conflit au Moyen-Orient.

Il y a eu en Amérique un âge d'or du journalisme où des personnages tels qu'Edward R. Murrow et Walter Cronkite étaient considérés comme des héros culturels respectés et universellement admirés. Dans le contexte actuel, où l'on porte de moins en moins d'attention aux médias d'information traditionnels, les journalistes de ce calibre ne sont rien de plus que des célébrités de second plan. Bon nombre d'entre nous, et particulièrement la jeune génération, préfèrent les versions personnalisées de l'actualité qu'on nous offre sur des sites comme Instapundit.com et Daily Kos, sans doute parce que les opinions qu'on nous y présente font écho aux nôtres: nous favorisons, souvent inconsciemment, le type d'information qui reflète nos opinions et préoccupations du moment, une information conforme à notre vision particulière, et parfois déformée, de la réalité. Nous préférons nous entendre sur des faits incontestés plutôt que de débattre les grandes questions de l'heure de façon informée et éclairée. Ce faisant, nous alimentons une vision tendancieuse, non objective du monde. La grande communauté humaine est en train de se fragmenter en des milliards de points de vue obtus parce que hautement personnalisés. La majorité d'entre nous sommes incroyablement mal informés; malgré tout, nous avons des opinions très arrêtées.

LA BIBLIOTHÈQUE DE BABEL

En 1939, le génial écrivain argentin Jorge Luis Borges signait un court essai intitulé *La bibliothèque totale,* repris plus tard sous le titre de *La bibliothèque de Babel,* dans lequel il décrivait une bibliothèque gigantesque et chaotique composée d'un nombre indéfini et peut-être infini de salles symétriques et hexagonales.

Internet reflète la troublante et mystérieuse bibliothèque de Borges par son caractère anonyme, oppressant et chaotique. C'est un endroit dénué de code moral où la réalité n'est pas plus concrète que les notions de bien et de mal ; un endroit où la vérité, arbitraire et subjective, peut changer à tout moment : dans les replis de cette bibliothèque de Babel qu'est Internet, la vérité est à la fois multiple, omniprésente et insaisissable. Même les blogues conventionnels recèlent des messages cachés, des informations fausses ou piratées. Les blogues sont devenus l'outil de prédilection des entreprises, des propagandistes politiques et des voleurs d'identité. Mi-blogue, mi-pourriel, le *splog* (une contraction des mots *spam*, qui veut dire «pourriel», et *blog*) est un phénomène récent sur Internet. Généré par un logiciel qui permet à l'utilisateur de créer des milliers de blogues par heure, le *splog* est un faux blogue qui fausse les résultats des moteurs de recherche et redirige les internautes dans le but de générer des paiements au clic. Selon un chercheur de l'Université du Maryland, les *splogs* comptent pour 56 pour cent des blogues actifs ; il s'agit d'une véritable épidémie qui encrasse la blogosphère de quelque 900 000 entrées par jour. Dave Sifry, fondateur de Technorati, le moteur de recherche spécialisé dans l'indexation des blogues, estime que 90 pour cent des nouveaux blogues sont des *splogs*. Dans le numéro de septembre 2005 de la revue *Wired*, il est dit que les «splogueurs» «ont échafaudé un véritable écosystème virtuel de corruption, de fadaises et de charabia» conçu pour monopoliser le temps des internautes et subtiliser les revenus des annonceurs[12].

Proche cousin du *splog*, le *flog* est un blogue qui se dit indépendant, mais qui est rédigé en réalité par des individus à la solde d'un commanditaire. En 2006, trois employés de l'agence de relations publiques Edelman PR ont pratiqué l'art du *flog* en rédigeant sous le couvert de fausses identités un blogue favorable à Wal-Mart, un des gros clients de l'entreprise. L'entreprise Internet PayPerPost.com, qui est commanditée en partie par Draper Fisher Jurvetson, une prestigieuse société financière de Silicon Valley, sert d'intermédiaire entre les annonceurs et les «flogueurs», payant ces derniers de 5 $ à 10 $ pour chaque article publié dans un blogue. PayPerPost.com se définit elle-même comme une «place de marché virtuelle pour la publicité générée par le consommateur», mais on pourrait la décrire plus précisément comme un sombre repli de l'Internet où les blogueurs vendent leur âme au plus offrant.

En dépit de la croyance populaire voulant qu'ils soient là uniquement pour nous duper, les annonceurs sont eux aussi victimes des arnaques qui se trament dans le cyberespace. Le service de contrôle professionnel Click Forensic révélait en 2006 qu'au moins 14 pour cent de la publicité au clic vendue par les moteurs de recherche proviennent de «faux clics» qui engendrent un revenu pour le moteur, mais sans générer de valeur publicitaire pour l'annonceur[13]. De fait, il y a sur Internet tout un réseau de sites dits «garés» composés exclusivement d'hyperliens et de bannières publicitaires recyclées. Ces sites sont là uniquement pour générer des clics qui sont ensuite facturés à l'annonceur.

Les fraudes au clic sont de plus en plus nombreuses sur Internet. Certains réseaux frauduleux rassemblent des milliers de membres de partout dans le monde et les paient pour cliquer sans arrêt sur un lien en particulier; d'autres utilisent un logiciel automatisé, le *clickbot*, pour générer un nombre astronomique de faux clics anonymes plus difficiles à détecter que des clics manuels, ce qui oblige les annonceurs à payer des montants exorbitants pour des publicités qui n'augmentent ni leur attractivité, ni leur clientèle, ni leur chiffre d'affaires.

MostChoice.com, une entreprise basée à Atlanta, a été victime d'une fraude de ce genre. En 2006, le fondateur de la société, Martin Fleishman, a remarqué un nombre croissant de clics provenant de la Syrie et de la Corée du Sud, ce qui était étrange étant donné que l'entreprise dessert une clientèle essentiellement américaine. Après avoir engagé un programmeur pour qu'il conçoive et mette en place un système permettant d'analyser la durée et le point d'origine de chaque clic effectué sur les annonces de MostChoice, Fleishman a découvert que la plupart des clics suspects provenaient de gens qui quittaient le site après quelques secondes seulement. Ces cliqueurs n'étaient pas des clients potentiels, mais des fraudeurs faisant partie d'une arnaque élaborée qui a coûté plus de 100 000 $ à l'entreprise.

Il ne s'agit pas là d'un cas isolé. Selon la revue *The Economist*, les fraudes au clic représentaient de 10 à 50 pour cent des revenus de publicité générés sur Internet en 2006, pour un total oscillant entre 3 et 13 milliards de dollars. Plus que tout autre type d'escroquerie en ligne, la fraude au clic menace la viabilité de la cyberéconomie, laquelle est largement tributaire de la pub. La fraude d'Enron a l'air d'une simple erreur de comptabilité à côté de ça[14].

L'univers de Web 2.0 a été pris d'assaut par des menteurs, des tartuffes et des fraudeurs qui se jouent de nous avec leurs *splogs*, leurs *flogs*, leurs *clickbots* et leurs réseaux d'ordinateurs zombies.

PUB OU RÉALITÉ?

Avant la venue de Web 2.0, le contenu et la publicité étaient deux choses distinctes qui coexistaient, mais séparément, en parallèle. On pouvait aisément distinguer l'un de l'autre : à la télévision et à la radio, les publicités étaient présentées sous forme de messages de 30 ou 60 secondes survenant de façon prévisible à toutes les 15 minutes de programmation environ ; dans les journaux et magazines, certaines pages ou colonnes étaient réservées aux publicités et d'autres aux articles et aux éditoriaux. Durant les années 1990, lors de la première révolution Internet, le contenu était clairement séparé des bannières publicitaires et des publicités interstitielles. Cela n'est plus vrai à l'époque de Web 2.0. Une étude du Pew Internet and American Life Project révèle qu'une majorité d'entre nous sait reconnaître les messages et émissions publicitaires à la télé et dans les revues et journaux, mais que 62 pour cent des internautes ne savent pas distinguer les sites indépendants des sites payés à l'issue d'une recherche sur Internet[15].

Cette confusion n'est pas étonnante étant donné que Web 2.0 dispose de technologies qui permettent à la publicité l'apparence du contenu traditionnel. La technologie In-Text, par exemple, permet d'insérer des annonces publicitaires dans le contenu éditorial d'un texte. Une entreprise comme Microsoft ou Target peut donc cacher dans le corps d'un texte des fenêtres publicitaires qui apparaîtront quand le pointeur de l'utilisateur croisera tel ou tel mot-clé souligné. La plupart du temps, il n'y a même pas de lien logique entre le mot souligné et le message publicitaire. Tout ce qui compte pour l'annonceur, c'est que l'utilisateur voie son annonce.

Si les annonceurs brouillent ainsi les pistes, c'est que le public se méfie de plus en plus de la pub et des autres stratégies de marketing. En janvier 2006, le « baromètre de confiance » de l'agence de relations publiques Edelman PR dénotait un changement sociétal important : nous avons aujourd'hui plus confiance en nous-mêmes et en nos pairs qu'en les médias traditionnels. Un sondage semblable effectué en 2003, soit au tout début de la révolution Web 2.0, révélait que seulement 22 pour cent des participants feraient davantage confiance à un pair. Ce chiffre triplera en janvier 2006 : 68 pour cent des participants se disaient alors plus enclins à faire confiance à un pair plutôt qu'aux médias[16].

Les consommateurs que nous sommes se méfient de plus en plus des messages publicitaires. Qui plus est, nous sommes de moins en moins tolérants à leur endroit. Une étude de marché effectuée par Yankelovich en 2005 affirme que 69 pour cent des consommateurs américains « sont intéressés à des moyens qui leur permettraient de bloquer, d'éviter ou d'outrepasser les messages publicitaires ». Voici comment l'éditeur en chef de la revue *PR Week* explique ce phénomène :

Le monde de la télé et de la pub traditionnelle est en crise aujourd'hui à cause de deux inventions récentes : le système TiVo, qui permet d'enregistrer la télé numérique en sautant les annonces ; et les blogues. Ces deux phénomènes ont forcé les publicitaires à changer leurs formules de marketing. Au lieu de se concentrer sur le traditionnel message télévisé de 30 secondes, on recherche aujourd'hui une interaction plus fluide avec l'auditoire, qui est de plus en plus averti.

L'industrie de la pub a très vite compris la nécessité d'une interaction « fluide » entre le message publicitaire et son auditoire. Dans un discours remarqué de 2004, le chef de publicité de la société Proctor & Gamble, James Stengel, reconnaissait que le consommateur « est maintenant moins sensible aux messages transmis par les médias traditionnels » et que le consommateur de Web 2.0 « se dote de nouvelles technologies qui lui permettent de contrôler quand et comment il sera sollicité ».

Dans un médium démocratisé où les consommateurs se méfient des pubs traditionnelles, le grand défi des publicitaires est d'annoncer subrepticement par le moyen de messages publicitaires déguisés en contenu ordinaire, mais tout en conférant une aura d'authenticité à leurs marques, à leurs produits et à leurs messages publicitaires.

Toute cette prétendue authenticité n'est évidemment qu'une fabrication. Dans un article de la revue *PR Week*, un cadre de l'agence de relations publiques Weber Shandwick disait que la pub clandestine, le placement de produits et les stratagèmes de relations publiques étaient les nouvelles armes des agences de marketing. L'environnement anonyme et incontrôlé d'Internet est idéal pour ce genre de dissimulation : du moment que le consommateur ignore qui a produit tel ou tel message publicitaire, on peut le convaincre que ce dernier a été créé par des gens « comme lui », c'est-à-dire par ces pairs en qui il a confiance. Moins le message semble officiel, plus le consommateur s'y identifie et s'en arroge la propriété.

Le vidéoclip rap *Tea Partay* est un bon exemple de pub dissimulée. Apparu sur YouTube en août 2006, ce clip réalisé par un vidéaste connu du nom de Julien Christian Lutz (Little X pour les intimes) semble parodier les jeunes aristocrates issus des milieux privilégiés de la Nouvelle-Angleterre, mais il s'agit en fait d'une pub payée par Smirnoff pour annoncer son nouveau Raw Tea, une boisson alcoolisée à base de malt. L'annonce a été produite par la prestigieuse agence publicitaire Bartle Bogle Hegarty au coût de 200 000 $.

Avec quelque 500 000 visionnements dans les deux semaines qui ont suivi son lancement sur YouTube, *Tea Partay* s'impose comme l'un des premiers grands succès de la publicité virale, d'autant plus que la plupart des consommateurs n'y ont vu que du feu.

Smirnoff est loin d'être la seule entreprise à fourguer ses publicités clandestines sur YouTube. Le géant sportif Nike a produit un clip où le talentueux joueur de soccer Ronaldinho, allègrement chaussé de chaussures de sport Nike, jongle un ballon de soccer avec les pieds. Dans un clip intitulé *Colour Like No Other*, Sony annonce sa ligne de téléviseurs plats Bravia. Le constructeur automobile Volkswagen présente quant à lui son nouveau modèle GTI dans le clip *Unpimp Your Ride*. Ce que ces messages publicitaires ont en commun, c'est qu'ils n'ont pas l'apparence d'une pub et qu'ils ne sont pas présentés comme tels.

Sous le couvert d'un média démocratisé, YouTube est en train de se transformer en une longue litanie de publicités. C'est comme si les agences de marketing voyaient tout à coup leurs rêves les plus fous se réaliser. Chad Hurley, le fondateur de YouTube, ne voit aucun inconvénient à cela, bien au contraire. Voici ce qu'il a dit à ce sujet dans une entrevue réalisée par la revue *Adweek* :

> Forcer le consommateur à regarder des annonces publicitaires avant d'avoir accès au contenu n'est pas le meilleur moyen de le mettre en rapport avec une marque... Nous voulions créer un modèle où l'accès au contenu entraîne un dialogue, une communication bidirectionnelle entre l'annonceur et l'utilisateur.

Ce que Hurley suggère, c'est que, sur YouTube, pub et contenu ne forment plus qu'un : la pub est contenu et le contenu est publicité. Ce modèle de « communication bidirectionnelle » a fait de YouTube un véritable ramassis de clips publicitaires – toutes les marques imaginables utilisent maintenant le site pour fourguer leurs produits. Mais la véritable supercherie réside dans le fait que, sur YouTube, les clips publicitaires se fondent dans le reste du contenu. C'est en cela que l'on dupe le consommateur. En août 2006, YouTube a commencé à vendre des « publicités participatives » ou PVA (*participatory video ads*) destinées à apparaître sur sa page d'accueil. Comme le visionnement de ces clips est amorcé par l'utilisateur, c'est en quelque sorte ce dernier qui sollicite ici l'annonceur. La première PVA lancée sur YouTube – qui annonçait *Pulse*, version originale du film d'horreur *Pulsations* – a été visionnée 900 000 fois sur une période de quatre jours[17].

Les PVA sont en tout point identiques au contenu standard de YouTube. Contenu et publicité se fondent tout aussi parfaitement sur les chaînes de type «commanditaires», lesquelles ont été créées dans'le seul but de permettre aux annonceurs de vendre leurs produits sur YouTube. (Le premier clip commandité est apparu à l'été 2006; il s'agissait d'une pub payée par Warner Brothers annonçant *Paris*, le premier CD de Paris Hilton.) Ces chaînes commanditées sont en train de transformer YouTube en un vaste réseau de magasinage virtuel et démocratisé où les messages publicitaires sont impossibles à différencier du contenu indépendant.

Il existe pourtant une différence fondamentale entre le message publicitaire et le contenu produit par l'utilisateur: le premier est un message payé conçu pour inciter les gens à consommer un produit, alors que le second naît de la volonté d'informer ou de divertir de son créateur; lorsqu'il ajoute du contenu à YouTube, l'utilisateur n'a d'autre objectif que d'exprimer sa pensée ou sa créativité. Que devient la vérité quand des politiciens achètent des chaînes sur YouTube pour calomnier subrepticement leurs adversaires? Que devient l'intégrité quand des entreprises utilisent YouTube pour diffuser des fausses critiques de leurs produits sous le couvert d'un avatar?

Au sein de ce médium prétendument démocratisé qu'est Internet, certains producteurs de contenu ont plus de pouvoir que d'autres. Web 2.0 est censé donner voix à l'amateur, mais en vérité, sur Internet comme partout ailleurs, c'est la voix de l'entreprise (qui bénéficie d'un budget publicitaire astronomique) qui domine la clameur.

LA SAGESSE DE LA MASSE

Dans l'univers de Web 2.0, c'est la masse qui fait autorité, elle qui détermine ce qui est vrai et ce qui est faux. Les moteurs de recherche tel Google appliquent un algorithme qui classe les résultats selon le nombre de recherches précédentes. Les résultats que l'on obtient à la suite d'une recherche ne sont pas nécessairement les plus fiables et les plus appropriés: ce sont tout simplement les plus populaires. On peut donc dire que l'ensemble de notre savoir, et ce, dans quelque domaine que ce soit – de la politique aux faits divers en passant par la science et la littérature –, est maintenant façonné par l'agrégat des demandes que l'on soumet à un moteur de recherche donné. Parce que son classement est basé sur un historique quantitatif des requêtes précédentes, les moteurs de recherche comme Google ne reflètent rien de plus que la sagesse de la masse.

Le problème, c'est que la génération Web 2.0 considère les résultats offerts par les moteurs de recherche comme parole d'évangile. Imaginez un écolier aux États-Unis qui, devant faire un devoir sur la présidence américaine, tape les mots « *White House* » dans le champ de recherche de Google. Le troisième lien proposé l'enverra sur whitehouse.org, un site aux gros titres provocateurs qui se veut une satire de l'actualité politique américaine. Cet écolier se fera décidément une drôle d'idée de son gouvernement.

Non content de nous renvoyer à nous-mêmes, le moteur de Google peut aisément être corrompu ou manipulé : le « bombardement » est une méthode de référencement qui vise à élever le classement d'un site donné en multipliant, sur d'autres sites, les hyperliens qui renvoient à ce site. N'importe quel internaute doté d'un minimum de connaissances techniques peut ajouter aux sites qui apparaissent en premier dans les résultats de recherche de Google des renvois et des hyperliens menant au site de son choix. Ces bombardiers de l'Internet tentent de corrompre la « sagesse collective » telle qu'elle est conçue par l'algorithme de Google.

Le bombardement de Google est devenu la stratégie de prédilection pour quiconque veut influencer l'opinion publique. Durant les élections législatives américaines de 2006, des bombardiers liés à MyDD.com, un blogue collectif libéral, ont tenté de discréditer le candidat sénatorial républicain Jon Kyle en manipulant l'algorithme de Google : quand un utilisateur entrait le nom de Kyle dans le champ de recherche, l'un des premiers résultats affichés renvoyait à un article du *Phoenix New Times* qui critiquait ouvertement le candidat républicain. Certaines de ces manipulations ont une vocation humoristique – inscrivez « *miserable failure* » dans le champ de recherche de Google et vous verrez à quel « raté » l'auteur de cette facétie fait référence.

Les sites d'information et de réseautage social tel Digg, Reddit, Delicious et Netscape.com limitent notre accès à une information juste et équilibrée du fait qu'ils classent leurs articles en fonction du comportement collectif de leurs utilisateurs et émettent des recommandations basées sur les préférences et habitudes de lecture de ces mêmes utilisateurs. Peut-on se fier à une information, à une vision de l'actualité filtrée par un algorithme, soumise à la sagesse de la masse ? Au mieux, cette méthode restreint notre accès à l'information. Au pire, elle déforme dangereusement notre vision du monde et notre perception de la vérité.

Les sites d'information comme Digg et Reddit se disent plus honnêtes et plus démocratiques que les médias traditionnels, mais en vérité ils contribuent à créer un espace médiatique oligarchique et corrompu puisqu'ils sont manipulés par des individus qui influencent le système de recommandation de ces sites en élevant artificiellement le classement de certains articles ou reportages. Après avoir analysé 25 000 recommandations sur six sites d'information communautaires, le *Wall Street Journal* a découvert qu'une coterie de trente « influenceurs » décidait d'un tiers des gros titres affichés sur la page d'accueil de Digg.com, un site pourtant riche de quelque 900 000 utilisateurs. À lui seul, un utilisateur répondant à l'avatar « Stoner » a permis à 217 articles d'accéder au palmarès des articles favoris de Netscape.com, et ce, sur une période de 14 jours. Cela représentait 13 pour cent du nombre total d'articles parus sur le site durant cette période.

L'enquête du *Wall Street Journal* révèle que les sites d'information communautaires reflètent les préférences d'une petite minorité, et non la « sagesse de la masse », mais elle nous apprend aussi que les influenceurs sont légion sur Internet et qu'ils manipulent les moteurs de recherche pour servir leurs propres intérêts ou à des fins de propagande. Certaines agences de marketing garantissent, moyennant finances, une place en première page sur Digg.com ; d'autres paient carrément des influenceurs pour faire mousser certains articles. En octobre 2006, Use/Submitter.com étrennait une nouvelle pratique en payant les utilisateurs de Digg 10 cents par recommandation d'article. Les hautes instances de Netscape paient un ado de 17 ans 1000 $ par mois simplement pour qu'il publie ses recommandations sur leur site[18] – il faut dire que le jeune homme de l'Illinois a déjà été en deuxième position au classement des utilisateurs de Digg.com.

Au bout du compte, les influenceurs qui travaillent dans l'ombre sur Digg et Reddit ne sont pas plus dignes de confiance que les collaborateurs anonymes de Wikipédia ou les vidéastes amateurs de YouTube. Quant à la sagesse de la masse, elle n'est qu'illusion. Existerait-elle vraiment que nous ne pourrions nous y fier. L'Histoire démontre que l'on ne peut s'en remettre au jugement des foules. Quantité de guerres, de génocides et d'autres projets monstrueux ont obtenu l'approbation des populaces. C'est pourquoi la société ne doit pas faire de ses enjeux les plus cruciaux un concours de popularité ; elle doit plutôt placer les jugements importants entre les mains de spécialistes qui ont le savoir et les compétences qu'il faut pour prendre des décisions éclairées. C'est l'expert, et non le profane, qui doit se faire l'arbitre de la vérité.

En 1841, un journaliste écossais du nom de Charles Mackay signait le désormais classique *Illusions populaires extraordinaires et la folie des foules*, ouvrage qui se voulait une critique des mouvements de foule irrationnels[19]. Citant l'hystérie spéculative dont les bulbes de tulipe firent l'objet au XVIIe siècle, ainsi que le krach financier provoqué par la Compagnie des mers du Sud au siècle suivant, Mackay démontre comment « des communautés entières fixent soudain leur attention sur un objet au point d'entretenir à son égard une convoitise insensée». Si Mackay vivait aujourd'hui, il ajouterait Internet à sa liste d'illusions populaires et noterait sans doute la nature très particulière de l'hystérie de masse qui nous agrippe. Dans l'univers de Web 2.0, la folie prend des allures narcissiques : ici, la foule est folle dans la mesure où elle est tombée amoureuse d'elle-même.

Est-ce bien cela, la sagesse de la masse ?

CHAPITRE 4

Quand meurt la musique (Face A)

L'enseigne à l'extérieur du commerce de San Francisco annonçait que nous étions en présence du plus grand magasin de disques au monde et qu'il était ouvert de 9 heures du matin à minuit, 365 jours par année.

Le Tower Records situé à l'angle des rues Bay et Columbus tenait ces heures d'ouverture depuis son inauguration en avril 1968. Il n'était peut-être pas aussi imposant que la succursale de Greenwich Village à New York, édifice colossal qui s'étendait sur trois pâtés de maisons où les plus grosses vedettes de l'industrie aimaient faire leurs lancements; sa clientèle n'était peut-être pas aussi prestigieuse que celle du Tower de Sunset Strip que fréquentaient les stars hollywoodiennes, néanmoins le Tower Records de San Francisco était cher à mon cœur parce qu'il me rappelait le début des années 1990, époque où j'en étais à mes premières armes en tant que critique musical. J'adorais flâner dans la section de musique classique pour discuter des dernières parutions avec le personnel toujours gentil et bien informé, pour rencontrer d'autres critiques et journalistes ou pour assister aux mini-concerts que des grands noms de l'opéra tel Luciano Pavarotti et Renée Fleming livraient dans le magasin même. Les rayons et présentoirs débordaient de disques, puis plus tard de CD. De grandes affiches annonçaient la venue des nouveaux albums. Des effigies grandeur nature de nos artistes préférés nous accueillaient en souriant au tournant des allées.

David Sholin, cet « homme aux oreilles d'or » qui a chamboulé l'univers de la programmation radiophonique et a été intronisé au Temple de la renommée du rock and roll, a lui aussi de vibrants souvenirs du disquaire de San Francisco :

Les vendredis soir au Tower Records, on avait l'impression de participer à un grand événement. Les allées bondées de monde, toutes ces nouvelles parutions… il fallait y être pour comprendre l'atmosphère qui régnait là[1].

Aujourd'hui, quand je me suis rendu au coin de Bay et Columbus, mon Tower bien-aimé, le Tower de Fleming et de Pavarotti, de U2 et des Rolling Stones, de Madonna et d'Aretha, ce Tower-là se mourait à petit feu. Des enseignes pourpres, rouges et jaunes entonnaient une complainte triste dans les fenêtres aveugles. « GRANDE VENTE DE FERMETURE, disaient-elles, TOUT DOIT ÊTRE VENDU. »

Le glas avait sonné une semaine plus tôt.

L'enchère avait duré 30 heures. L'offre gagnante : 134,3 millions de dollars, comptant. L'affaire s'était déroulée dans la salle de conférences d'un cabinet d'avocats. Après une journée et demie de tractations, l'endroit, où régnaient habituellement un ordre et une propreté irréprochables, avait pris des airs de champ de bataille : les enchérisseurs échevelés avaient jeté leurs vestons et cravates pêle-mêle sur les fauteuils ; des vestiges de pizzas gisaient dans leurs boîtes en carton détrempées ; des canettes de boissons gazeuses vides s'empilaient dans un coin.

Plus qu'une enchère de faillite, il s'agissait là d'un chant du cygne : le jeudi 3 octobre 2006 à 8 heures du matin, 17 enchérisseurs s'étaient présentés aux bureaux du plus gros cabinet d'avocats du Delaware pour s'arracher les restes de ce disquaire qui avait rempli nos vies de rêve et de musique pendant près d'un demi-siècle. Le vendredi 4 octobre à 16 heures, il ne restait plus que deux parties intéressées, soit une société de liquidation de la Californie et un détaillant new-yorkais.

De ses humbles débuts dans une pharmacie de Sacramento, Tower Records était devenu le disquaire le plus populaire d'Amérique. Mais la cyber-révolution avait finalement eu raison de lui. Il eût été juste que l'enchère ait lieu sur eBay puisque c'était une autre victime de l'âge numérique que l'on sacrifiait ici.

Le déclin de Tower Records avait commencé au milieu des années 1990 avec l'arrivée d'Internet. Les magasins à grande surface comme Wal-Mart avaient certes fait du tort à Tower avec leur politique de bas prix, néanmoins c'était la révolution numérique, avec son piratage éhonté et ses détaillants à rabais dans le genre d'Amazon.com et d'iTunes, qui avait mené le grand disquaire à sa perte. Tower ne pouvait lutter contre ces compétiteurs déloyaux.

Entre 2003 et 2006, 800 disquaires indépendants ont fermé boutique en Amérique. Ce type de commerce est en voie de disparition, surtout en Californie, où 25 pour cent des magasins de disques ont fermé leurs portes durant cette période. Et la tendance va en s'accélérant : on a assisté à la fermeture de 378 disquaires sur l'ensemble du territoire américain au cours des cinq premiers mois de 2006 alors que l'on ne comptait en tout et pour tout que 106 fermetures en 2005. Le seul magasin de disques qui semble prospérer aujourd'hui est le magasin de Sony BMG sur le site secondlife. com, lequel abrite une communauté virtuelle en trois dimensions. Sur ce site, Sony s'est donné pour mission de reconstituer la vibrante atmosphère d'un magasin de disques traditionnel.

« Les jeunes ne se déplacent plus pour acheter des CD », confiait Thom Spennato au *New York Times* en juillet 2006. Spennato est propriétaire du magasin de disques indépendant Sound Track, à Brooklyn.

Si les jeunes ne fréquentent plus les magasins de disques, c'est parce qu'ils sont assis devant leur ordinateur en train de télécharger de la musique gratuitement sur des réseaux de partage de fichiers. Les plus honnêtes d'entre eux téléchargent des chansons à 99 cents pièce sur iTunes.

Le marché du CD a chuté de 25 pour cent entre 1995 et 2005. L'industrie musicale a connu une baisse de revenus de 2,3 milliards de dollars aux États-Unis entre 1999 et 2005, passant de 14,6 milliards à 12,3 milliards de dollars. La vente de musique a décliné de 4 pour cent à l'échelle mondiale durant la première moitié de 2006 ; ce chiffre se porte à 10 pour cent pour les CD et autres supports physiques[2].

Le vendredi de la vente de Tower Records, les enchères montaient à coup de 500 000 $ dans l'après-midi, mais même à 130 millions de dollars, l'offre était dérisoire. Forbes avait évalué la valeur de l'entreprise à 325 millions en 1990, mais le chiffre d'affaires de Tower, qui était de l'ordre de 1 milliard de dollars par année durant cette décennie, avait diminué de plus de 50 pour cent depuis le début de la révolution numérique. En 2005, les ventes ne totalisaient pas plus de 430 millions de dollars.

Le liquidateur californien restant à la fin de l'enchère était le Great American Group. Quant au détaillant new-yorkais, il s'agissait de Trans World Entertainment, qui avait raflé les chaînes de magasins Sam Goody et Wherehouse Music à la suite de leur faillite. L'enchère de Tower Records visait l'inventaire complet des livres, des CD et des DVD se trouvant dans ses 89 magasins restants, de même que la propriété du nom lui-même.

Si les quelque 3000 employés de Tower Records, incluant son fondateur de 81 ans Russ Soloman, représentaient le bien le plus précieux que l'entreprise ait pu offrir, le nouveau proprio n'en avait cure : le vendredi après-midi vers 16 heures, le Great American Group remportait l'enchère avec une offre de 134,3 millions de dollars et annonçait aussitôt son intention de mettre la société en liquidation. Tower Records était bel et bien mort.

Après avoir invité ses employés à un dernier barbecue qui, de l'avis de certains participants, avait des allures de funérailles, Russ Soloman leur écrivit un courriel émouvant. « Le glas a sonné pour nous, dit-il, et il a sonné diablement faux. Merci à vous tous. Merci. »

Sur la marquise du magasin de Sunset Boulevard, il était écrit : « C'est la fin d'une époque. Merci de votre loyauté. » Sur le trottoir, juste en face, quelqu'un avait érigé une pierre tombale dont l'épitaphe se résumait à un seul mot : Tower.

À la succursale de New York, qui avait été le phare de l'entreprise, les fenêtres étaient noircies sur un pâté de maisons entier. Le coin, qui d'ordinaire grouillait de clients nuit et jour, était étrangement désert.

Au magasin de San Francisco, par contre, les clients étaient au rendez-vous, profitant des rabais de 15 pour cent sur les CD et DVD, et de 30 pour cent sur les livres et magazines. La scène était désolante. C'étaient les derniers morceaux de la carcasse de Tower Records qui s'envolaient. Debout près d'un présentoir sur lequel se côtoyaient les *Dark Side of the Moon* et *Abbey Road*, chefs-d'œuvre d'un âge d'or musical à jamais révolu, j'ai décidé de mener ma petite enquête. « Qu'est-ce qui va vous manquer quand Tower Records ne sera plus là ? » demandais-je aux clients qui passaient devant moi. « Le choix qu'on retrouve ici, disaient certains. Leur catalogue varié et exhaustif. »

« Les employés, parce que ce sont tous des amoureux de la musique. »

« Les vendredis soir et les samedis après-midi pluvieux passés à flâner dans le magasin. »

« Le nouvel album ou le nouveau groupe qu'on découvre au hasard des rayons. »

Quantité de mélomanes déplorent la disparition de Tower Records, une chaîne reconnue pour la variété de son inventaire. « Vous vouliez un CD d'ambiance sur lequel on entend des grenouilles d'Amazonie ? Pas de problème : on l'avait ! » d'assurer un ancien employé de l'entreprise.

D'aucuns regretteront aussi le savoir-faire du personnel de Tower Records, de tous ces mordus de musique qui écoutaient toujours tout avant tout le monde et communiquaient les bons filons au client – ce que le critique de rock Dave Marsh appelle « la transmission intergénérationnelle de la musique ». Critique de musique pop au *Los Angeles Times*, Ann Powers déclare tout de go qu'un employé du Tower Records de Seattle a changé sa vie en lui faisant découvrir The Clash et Elvis Costello. Ayant elle-même été vendeuse au Tower de San Francisco, Powers affirme que nous ne sommes pas près de retrouver pareil choix dans un autre magasin de disques :

> Par son catalogue exhaustif, Tower s'engageait à répondre aux besoins d'une clientèle des plus bigarrées. L'amateur de jazz en quête d'un obscur album fusion sous étiquette American Clavé, le hippie à dreadlocks friand d'importations de la Jamaïque, le punk pur et dur en mal de guitares explosives... tout le monde trouvait ici ce qu'il cherchait. En permettant à son personnel – qui était un mélange d'aspirants musiciens, de bohèmes et d'étudiants fanatiques de musique – de garnir les tablettes, Tower a créé une communauté musicale d'une variété sans égale, un espace physique où chacun, du jazzeux snobinard au mélomane du dimanche, y trouvait son compte[3].

Le « catalogue exhaustif » dont parle Powers ressemble étrangement à l'utopie numérique de Silicon Valley. Tower Records aurait-il été sans le savoir le précurseur de la longue traîne de Chris Anderson, laquelle promet une infinité de choix musicaux ?

En vérité, la chute de Tower Records représente la fin d'une longue traîne, et non son début. Tous genres musicaux confondus, l'entreprise était responsable de 40 à 50 pour cent des ventes des étiquettes spécialisées. Avec la disparition de Tower Records, ces maisons de disques à créneaux bien spécifiques – jazz, opéra, hip-hop, world beat, musique classique, etc. – ont perdu près de la moitié de leur chiffre d'affaires. Qui plus est, elles auront à trouver un nouveau moyen de rejoindre leur auditoire. La triste vérité, c'est que la disparition des magasins de disques va entraîner une réduction de nos choix musicaux. Non seulement y aura-t-il moins d'étiquettes, mais on assistera à l'émergence d'une économie oligarchique de détaillants virtuels dominée par Amazon.com, iTunes et MySpace.

Chris Anderson dirait sans doute, avec son optimisme habituel, que les petites étiquettes peuvent maintenant vendre directement au client, sans perdre leur marge de profit aux mains d'un intermédiaire. Le problème dans tout ça, c'est que la vente directe nécessite des compétences de marketing et une infrastructure informatique que bien des petites étiquettes n'ont pas. Loin d'aider les maisons de disques spécialisées, la fermeture de Tower entraînera très certainement une consolidation des grosses étiquettes.

Dans *La longue traîne*, Chris Anderson prétend que l'avenir de la musique réside en l'infinité de produits que nous proposent des disquaires virtuels tels Amazon.com ou iTunes. Il y a sans doute du vrai là-dedans, mais une chose est certaine, c'est qu'aucun magasin de musique en ligne ne contribue à la propagation de la culture musicale comme le faisaient les vendeurs de Tower Records. Nos choix musicaux sont maintenant influencés par les critiques anonymes que l'on retrouve sur Amazon.com, ce qui est un bien piètre substitut à l'expérience directe, empirique et informée que procurait le contact avec les musicophiles de chez Tower Records.

LE JOUJOU AU FOND DE LA BOÎTE DE CÉRÉALES

Je me souviens du samedi où j'étais attablé au *Café Trieste* de San Francisco en compagnie de Gerd Leonhard, futurologue musical autoproclamé et auteur de l'ouvrage *The Future of Music*[4], un manifeste qui dépeint un univers dans lequel la musique devient un service public au même titre que l'eau ou l'électricité.

Nous n'aurions pu choisir meilleur endroit pour discuter de l'avenir de l'industrie musicale. Situé à quelques coins de rue au sud du désormais défunt Tower Records, le *Café Trieste* est un point de ralliement pour les amateurs d'opéra de San Francisco. Les murs de ce vénérable café italien sont couverts de photos en noir et blanc de divas d'antan et, certains samedis après-midi, des chanteurs et chanteuses d'opéra locaux y donnent des concerts gratuits. «La musique va devenir un service public parce qu'en ce moment seulement 2 personnes sur 10 achètent la musique qu'elles écoutent, d'affirmer mon interlocuteur. Ça n'empêche pas que 9,5 personnes sur 10 s'intéressent à la musique; c'est le plus gros truc sur Internet avec le sexe et les jeux vidéo.»

L'évaluation de Leonhard est en fait plutôt optimiste. Le rapport conjoint déposé en 2006 par l'International Federation of the Phonographic Industry (IFPI) et la Recording Industry Association of America (RIAA) révèle que, pour chaque téléchargement légal, 40 chansons sont téléchargées dans l'illégalité. Vingt milliards de chansons ont été téléchargées illégalement en 2005 contre 500 millions de téléchargements légaux qui ont procuré à l'industrie un maigre revenu de 1,1 milliard de dollars.

Qu'adviendrait-il du *Café Trieste* si seulement 1 personne sur 40 payait son cappuccino? Ce genre de scénario, inconcevable pour les commerces concrets, est pourtant monnaie courante dans l'univers tordu de l'économie virtuelle. Voilà pourquoi l'avenir financier de l'industrie de la musique est menacé.

Si l'on applique à ces 20 milliards de chansons volées le prix de 99 cents par chanson fixé par iTunes, on en arrive à un manque à gagner de 19,99 milliards de dollars – soit une fois et demie le chiffre d'affaires (12,27 milliards) réalisé par l'industrie de l'enregistrement sonore américaine en 2005. Ces 20 milliards sont subtilisés annuellement aux artistes, aux étiquettes, aux distributeurs et aux disquaires d'une industrie qui nous a donné les Beatles, Pink Floyd, The Clash, Luciano Pavarotti et Maria Callas. Il s'agit vraisemblablement du plus gros larcin collectif que l'histoire ait connu.

« Regarde autour de toi, de lancer Gerd Leonhard en balayant l'espace de sa main. La musique n'a jamais été si populaire ! » Le *Café Trieste* était effectivement bondé. Des chanteurs d'opéra se livraient en spectacle devant un auditoire captivé. Mais il y avait un hic : tous ces clients ne déboursaient de l'argent que pour s'acheter des cappuccinos, des viennoiseries ou des boissons gazeuses. Ici comme sur Internet, l'art et la culture n'étaient plus que des faire-valoir, des véhicules utilisés pour faire mousser la vente d'autres produits.

Est-ce vraiment cela, le futur de la musique ? Réduira-t-on cet art magnifique en un simple outil promotionnel ou publicitaire ? À l'ère de Web 2.0, la musique ne jouira peut-être même pas du statut de service public : elle ne sera plus qu'un prix boni, un joujou enfoui au fond d'une boîte de céréales.

Le partage illégal de fichiers qui s'effectue sur des sites tels que BitTorrent, eDonkey, DirectConnect, Gnutella, LimeWire et SoulSeek est devenu une réalité incontournable pour l'industrie du disque. Le piratage est la raison pour laquelle, depuis 2003, 25 pour cent des magasins de disques ont dû fermer leurs portes aux États-Unis. C'est le piratage qui a incité l'IFPI à intenter 8000 nouvelles poursuites contre des téléchargeurs fautifs en octobre 2006, lui qui a causé une baisse de 15,7 pour cent dans la distribution de CD et d'autres supports physiques durant la première moitié de 2006 comparativement à la même période de l'année précédente[5], lui qui a entraîné la disparition du noyau culturel qui se trouvait à l'angle de Bay et Columbus à San Francisco.

Face à ce carnage, l'industrie du disque, désemparée, semble avoir adopté une nouvelle philosophie : « Si vous ne pouvez lutter contre eux, ralliez-vous à eux ! » Certaines maisons de disques mettent maintenant en ligne sur des sites de partage de fichiers des chansons ou des clips commandités de leurs propres artistes. Par exemple, en 2006, l'étiquette Universal, faisant équipe avec Coca-Cola, a permis la diffusion sur des sites P2P d'un extrait d'une performance du rappeur Jay-Z au Radio City Music Hall de New York. Offert en promotion par Coca-Cola, le clip a permis au géant de la boisson gazeuse de transmettre son message aux voleurs de musique.

Plusieurs autres artistes populaires, notamment Audioslave, Ice Cube et Yellowcard, usent de cette stratégie surréaliste pour vendre de la pub aux téléchargeurs illégaux. « L'idée, c'est de faire travailler les réseaux P2P à notre avantage, explique l'avocat de Jay-Z. Les utilisateurs de P2P volent la propriété intellectuelle, mais ils sont aussi un auditoire actif pour le milieu musical. »

Étant donné que les internautes ne paient qu'une seule chanson sur quarante, on peut dire que la musique distribuée en support numérique est essentiellement gratuite. Mieux qu'un service public, la musique est maintenant gratuite pour 98 pour cent des « consommateurs » ! L'industrie du disque n'a d'autre choix que de se résigner à cette catastrophe économique. Universal Music, la plus grosse étiquette de la planète, annonçait en septembre 2006 qu'elle comptait distribuer l'ensemble de son catalogue – qui contient des millions de chansons par des artistes aussi divers qu'Eminem et Hank Williams – gratuitement sur Internet par l'entremise du service de téléchargement SpiralFrog. Un mois plus tôt, EMI, qui figure elle aussi parmi les quatre principales étiquettes de l'industrie, disait avoir conclu une entente similaire avec la société QTrax.

Les utilisateurs de SpiralFrog et QTrax ont accès à de la musique gratuite sur Internet, en échange de quoi ils sont exposés à des messages publicitaires. Va-t-on désormais devoir se taper une annonce de Q-Tips chaque fois qu'on veut écouter *Abbey Road* ou *Dark Side of the Moon* ? Les amateurs de Mozart qui veulent écouter *Cosi Fan Tutte* sur SpiralFrog seront-ils interrompus à des moments-clés par des pubs interstitielles de la compagnie aérienne Alitalia ?

Fondateur et PDG de Liquid Audio, un des premiers fournisseurs de musique en ligne, Gerry Kearby déclarait récemment : « La musique est peut-être gratuite, mais derrière la musique il y a un condom ou Dieu sait quoi d'autre qu'ils essaient de vous vendre. »

Avec des services comme QTrax et SpiralFrog, l'écoute musicale en est réduite à un stupide jeu de cache-cache entre le consommateur et l'annonceur. Et tandis qu'EMI et Universal remplissent leurs coffres avec l'argent de leurs commanditaires, les artistes, eux, ne touchent pas un traître sou de leurs redevances. L'industrie n'a-t-elle vraiment d'autre choix que de s'acoquiner avec de tels services ? Chris Anderson et les autres idéalistes de

Web 2.0 prétendent qu'Internet offre aux musiciens la possibilité de mettre en marché et de vendre eux-mêmes leurs produits, mais en réalité les revenus ne suivent pas. MySpace se veut maintenant un magasin virtuel qui vend la musique de trois millions de groupes indépendants, mais comme le dit si bien David Card, analyste chez Jupiter Research: « Personne n'est parvenu jusqu'ici à exploiter de façon lucrative une entreprise basée exclusivement sur le modèle de la longue traîne[6]. »

Sur Internet, visibilité et popularité ne sont pas gages de revenus. C'est ce qu'a découvert The Scene Aesthetic, un duo acoustique d'Everett, Washington. Misant sur leurs belles gueules et leurs chansons imbues d'un lyrisme à la Simon & Garfunkel, Eric Bowley et Andrew de Torres, les deux membres du groupe, ont connu un succès monstre sur MySpace, YouTube et PureVolume. En janvier 2005, le duo proposait sur MySpace une première chanson, *Beauty on the Breakdown*. Déjà en septembre 2006, les chansons du groupe avaient été écoutées 9 millions de fois; la page de Scene Aesthetic sur MySpace avait attiré 2,3 millions de visiteurs et 140 000 amis. *Building Homes from What We've Known*, l'album le plus populaire du groupe, avait été téléchargé 1,3 million de fois sur le site de musique gratuite PureVolume.com, et le clip de *Beauty on the Breakdown* avait été visionné à 500 000 reprises sur YouTube.

Quel est selon vous le revenu total généré par ces 9 millions d'écoutes sur MySpace, ces 1,3 million de téléchargements sur PureVolume et ce demi-million de visionnements sur YouTube? Vous l'avez deviné: zéro.

En dépit de son succès phénoménal sur Internet, The Scene Aesthetic n'a pas encore décroché de contrat de disque. Durant l'été de 2006, Eric Bowley a tout de même quitté son poste de vendeur au magasin Best Buy d'Everett pour partir en tournée avec son coéquipier. Rien de glorieux, cependant. Bien qu'immensément populaire sur MySpace, le duo ne pouvait se payer les services d'un agent artistique professionnel; par conséquent, ses prestations se déroulaient dans des salles moins que prestigieuses: à Bloomington, Illinois, ils ont joué dans une pizzeria; à Pinetop, Arizona, c'est l'école secondaire Blue Ridge qui les a accueillis; à Wilton, Connecticut, ils se sont produits dans un centre jeunesse. Dans ces salles dont la capacité ne dépassait guère 200 personnes, et avec un prix d'entrée de 5 $ ou 10 $ par tête, les deux héros de Scene Aesthetic parvenaient tout juste à couvrir leurs frais de déplacement et d'hébergement. Quand les ventes de billets et de t-shirts avaient été suffisamment bonnes, le groupe se payait un bon dîner, mais c'était chose rare. La plupart du temps, Bowley et de Torres devaient se résoudre à dormir chez un de leurs fans, dans des conditions souvent inconfortables.

L'ère du musicien richissime semble bel et bien révolue. Gerd Leonhard a raison quand il dit que la musique est plus populaire que jamais, mais le fait est que la célébrité sur Internet ne se traduit pratiquement jamais en gains pécuniaires. La quantité de musique qu'il y a dans le cyberespace, la facilité avec laquelle on peut télécharger cette musique sans payer minent le potentiel de réussite d'artistes prometteurs comme The Scene Aesthetic. Un jeune musicien ne peut espérer faire carrière dans ces conditions. Pourquoi payer 15 $ ou 20 $ pour un CD quand on peut le télécharger gratuitement sur Internet ou quand on peut acheter seulement les chansons qu'on aime à 99 cents la chanson sur des sites comme iTunes ? Comment les étiquettes et leurs artistes peuvent-ils espérer survivre quand de moins en moins de gens achètent leurs CD ?

The Scene Aesthetic rejoindra peut-être le panthéon des quelques groupes, parmi eux Arctic Monkeys, qui ont réussi à monnayer la popularité dont ils jouissaient sur Internet ; cela dit, la difficulté qu'ils ont à transmuter leur célébrité virtuelle en ventes concrètes ou en contrat de disque est de mauvais augure pour les trois millions de groupes qui espèrent trouver la gloire en vendant leur musique sur MySpace. Ce qui est triste, c'est que The Scene Aesthetic ne connaîtra sans doute pas, même si le duo le mérite, le succès de ses idoles Simon & Garfunkel. À l'époque où Paul Simon et Art Garfunkel avaient l'âge d'Andrew de Torres et Eric Bowley, ils avaient déjà à leur actif un tube mineur, *Hey Schoolgirl*, qu'ils avaient enregistré à l'adolescence sous le nom Tom & Jerry et qui était paru sous étiquette Big Records en 1957. Simon et Garfunkel avaient 23 ans quand ils ont lancé leur premier album, *Wednesday Morning, 3 AM*, paru chez Columbia Records en octobre 1964, un disque qui leur a valu leur premier gros succès avec la chanson *The Sound of Silence*.

En octobre 2006, j'ai discuté avec Paul Simon de l'impact de la révolution Web 2.0 sur l'industrie du disque. À l'instar de Gerd Leonhard, Simon estime que le médium musical est aujourd'hui plus populaire que jamais ; par contre, il ne partage pas le même optimisme que l'auteur de l'ouvrage *The Future of Music* en ce qui concerne l'avenir de l'industrie. Simon s'inquiète particulièrement de la qualité d'enregistrement des albums futurs. Il m'a expliqué qu'un album de qualité prend environ un an à enregistrer, ce qui représenterait aujourd'hui un investissement de près d'un million de dollars. Or, il est impossible de récupérer une telle somme dans un marché où les gens achètent de moins en moins de CD. Les productions musicales de l'avenir souffriront nécessairement du fait qu'il n'est plus financièrement viable d'engager les meilleurs musiciens et de prendre le temps d'enregistrer des albums de la meilleure qualité possible. « Je suis contre Web 2.0 au même titre où je suis contre ma propre mort », d'annoncer mon interlocuteur en des termes dignes d'une de ses propres chansons, mais en se disant malgré tout résigné à l'état actuel des choses. Paul Simon compare la révolution Web 2.0 à un feu de forêt incontrôlable. « Un feu est peut-être ce dont on a besoin pour stimuler la croissance de notre industrie, dit-il. Mais ça, c'est la vision à long terme. À court terme, c'est la dévastation. »

Triste portrait que tout cela. « On est à 2.0, que ça nous plaise ou non, conclut Simon d'un ton résigné. Le sort en est jeté. »

Paul Simon a sans doute raison : on va tous passer à la moulinette de 2.0. Que cela nous plaise ou non.

CHAPITRE 5

Quand meurt la musique (Face B)

En 1842, Charles Dickens est venu faire une tournée de lecture en Amérique. Bien qu'il eût écoulé des centaines de milliers d'exemplaires de ses livres aux États-Unis – *Sketches by Boz, Nicholas Nickleby, The Pickwick Papers* et *Oliver Twist* jouissaient là d'une notoriété certaine –, Dickens n'en avait jamais retiré un sou parce que les droits d'auteur d'ouvrages créés en Angleterre et vendus aux États-Unis (ou vice-versa) n'étaient pas protégés à ce moment-là[1]. Les éditeurs américains pouvaient copier des romans britanniques tout leur soûl sans avoir à payer quelque redevance que ce soit.

Les auteurs qui, comme Dickens, bénéficiaient d'un lectorat des deux côtés de l'Atlantique – Henry Wadsworth Longfellow, Sir Walter Scott et Harriet Beecher Stowe sont de ceux-là – ont tous été victimes de piratage intellectuel. Durant les années 1840, Dickens, qui était pourtant à cette époque l'un des noms les plus connus de la littérature, a failli être jeté en prison par ses créanciers. En plein cœur d'une carrière prolifique, Sir Walter Scott frôlait la faillite; il mourut à 61 ans, anéanti par des années de gêne financière. L'écrivaine américaine Harriet Beecher Stowe estimait à 200 000 $ (ce qui représenterait des millions aujourd'hui) le montant des redevances impayées qui lui étaient dues pour les ventes européennes de son célèbre roman *Uncle Tom's Cabin*[2].

L'effort créatif est très difficile à soutenir quand il n'est pas accompagné d'une compensation ou d'une récompense monétaire. Dickens fut l'un des premiers à militer pour la protection du droit d'auteur auprès du Congrès américain. Il affirmait, très justement d'ailleurs, que la littérature américaine fleurirait si la loi obligeait les éditeurs américains à payer les redevances dues à leurs auteurs. Ce n'était pas encourager la production littéraire que de permettre à des éditeurs de publier gratuitement le travail d'auteurs étrangers.

À l'ère de Web 2.0, le piratage intellectuel que Dickens réprouvait tant est devenu la norme. « Libraires, défendez vos forteresses solitaires ! » clamait John Updike au salon du livre *Book Expo America* de mai 2006. L'écrivain de 74 ans était d'humeur belliqueuse ce jour-là, clamant son propos avec la vigueur et la force d'un homme deux fois plus jeune que lui. Son sujet d'irritation était nul autre que Kevin Kelly, ce grand partisan du « livre liquide », qui avait publié quelques semaines plut tôt son fameux manifeste dans le *New York Times Magazine*. Kelly affirme que la technologie qui permet de numériser des livres pour les copier ensuite à l'infini va inévitablement supplanter la notion de droit d'auteur. Puisqu'on ne peut pas protéger la propriété intellectuelle contre le piratage, de raisonner Kelly, il faut faire en sorte que tous les livres et textes existants soient offerts gratuitement. C'est comme si l'on disait au propriétaire d'une voiture de laisser sa clé dans le démarreur et sa portière ouverte parce qu'elle risque de toute manière de se faire voler.

Kevin Kelly (qui a pourtant lui-même publié plusieurs livres pour lesquels il a reçu des avances substantielles) soutient que la vocation du livre en soi n'est pas de traduire l'imagination ou l'effort créatif de son auteur, mais de fournir à l'amateur un matériau brut qu'il pourra manipuler à sa guise. « L'utilisateur participera à un texte en le personnalisant, en l'éditant, en y insérant des signets et des marqueurs et en le transférant sur d'autres médiums, de dire Kelly. La littérature ne sera véritablement intégrée à la culture que lorsque chaque page de chaque livre sera agglomérée, citée, indexée, analysée, annotée, fragmentée, remixée, puis réassemblée. » En d'autres mots, un chef-d'œuvre littéraire comme *Gatsby le magnifique* de F. Scott Fitzgerald n'a d'importance que dans la mesure où il peut être annoté, fragmenté, puis adapté au sein d'un médium numérique. Selon la vision de Kelly, même un grand classique de la littérature n'a pas de valeur en soi. Ce qui est important, c'est le matériau brut qu'il procure à chacun de nous afin que nous puissions le remixer et le personnaliser à satiété. Aux yeux de Kevin Kelly, les grands auteurs comme Fitzgerald sont de simples ouvriers ; le véritable artiste, c'est l'amateur qui manipule et refond les idées « rudimentaires » produites par ces ouvriers.

Kelly dit qu'à l'avenir, au lieu de gagner leur argent en vendant des livres, les auteurs « monnaieront les valeurs qui ne peuvent pas être copiées – prestations personnelles, information périphérique ou versions personnalisées de leurs œuvres, de leurs commandites, de leurs abonnements périodiques, etc. ». Bref, le livre en soi ne sera plus qu'un objet de promotion, un cadeau publicitaire offert gratuitement au consommateur et l'auteur gagnera sa vie en faisant des lectures publiques et des séances de signatures, en vendant son nom ou en agissant à titre de consultant. En vérité, le livre est bien plus qu'un simple objet publicitaire. « Les livres sont une partie intrinsèque de l'identité humaine », proclamait John Updike du haut de son podium. Et il avait raison.

Quand écrivains, compositeurs et musiciens ne pourront plus gagner leur vie en pratiquant leur art, rien ne les motivera plus à continuer. L'humanité sera alors privée d'un nombre incalculable de musiques magnifiques et d'œuvres littéraires potentiellement marquantes. Et qu'adviendra-t-il des industries connexes quand il n'y aura plus de livres à critiquer, plus de spectacles durant lesquels vendre des marchandises diverses, plus de créateurs à interviewer et plus de musique pour agrémenter la pub ? En pareilles circonstances, ces industries, assurément, s'éteindront.

Même Kevin Kelly doit admettre que la protection du support physique « a permis à des millions d'individus de gagner leur vie en vendant leur art à leur public » et que cela a entraîné « un épanouissement sans précédent dans l'aventure humaine ».

N'est-ce pas là un modèle qui vaut la peine d'être préservé ?

LA CRISE HOLLYWOODIENNE

Auteurs et musiciens ne sont pas les seules victimes de la révolution Web 2.0. Nos médias d'information et de divertissement – radio, télévision, journaux, cinéma, etc. – sont eux aussi gravement touchés par la prolifération sur Internet des produits piratés, des blogues d'actualité, des chaînes radiophoniques baladodiffusées et des petites annonces gratuites. Marshall Poe, journaliste à l'*Atlantic Monthly*, souligne qu'aucune entreprise ne peut à la fois produire un contenu de qualité et offrir ce contenu gratuitement. « Internet représente un danger moral pour la société en général et un danger économique pour les fournisseurs de contenu professionnels », m'a-t-il confié lors d'un entretien.

Le piratage, le téléchargement gratuit de films et la popularité croissante des sites pour vidéastes amateurs – YouTube, Veoh, etc. – font déjà des ravages dans l'industrie du cinéma, occasionnant une baisse marquée des revenus au box-office et des ventes de DVD.

En août 2005, le réalisateur Peter Jackson, créateur de la trilogie du *Seigneur des anneaux* et du plus récent remake de *King Kong*, disait à l'*International Herald Tribune* que « le piratage menace la rentabilité de toute l'industrie du cinéma, particulièrement en ce qui concerne les films à grand déploiement ».

La menace qu'annonce Jackson semble aujourd'hui s'être concrétisée. En mai 2006, le bureau de consultants LEK Consulting déposait un rapport commandé par la Motion Picture Association of America (MPAA) dans lequel il était écrit que le piratage numérique avait soustrait des revenus de 6,1 milliards de dollars à l'industrie cinématographique américaine en 2005. Le manque à gagner s'élevait à 18,2 milliards à l'échelle internationale. Le rapport, qui s'était intéressé au comportement de 20 600 consommateurs de cinéma dans 22 pays différents sur une période de 18 mois, précisait que sur les 6,1 milliards perdus, 2,3 milliards découlaient directement du piratage sur Internet; les ventes de copies pirates de DVD et de vidéocassettes avaient occasionné des pertes de 2,4 milliards et les enregistrements clandestins réalisés dans les salles de cinéma, des pertes de 1,4 milliard. Étant donné que la MPAA avait déclaré des revenus totaux de 44,8 milliards en 2004[3], on peut dire que le piratage prive l'industrie cinématographique américaine de 12 ou 13 pour cent de ses revenus.

L'Institute for Policy Innovation, un organe de recherche basé au Texas, évalue à 20,5 milliards de dollars les pertes totales subies annuellement à cause du piratage, et ce, dans tous les secteurs de l'industrie américaine. Pensez-y: 20,5 milliards de revenus perdus pour les travailleurs américains et pour les coffres de l'État. Et c'est sans parler des emplois qui ont été abolis ou n'ont pas été créés à cause de ce manque à gagner!

Les récentes statistiques de la MPAA révèlent que l'industrie cinématographique américaine est en péril. Les revenus au box-office ont baissé de 5,7 pour cent en 2005, pour un total de 8,99 milliards. L'achalandage dans les salles de cinéma, qui a accusé une baisse de 8,7 pour cent, est à son niveau le plus bas depuis 1997. Mais le plus inquiétant, c'est que les ventes de DVD ont plafonné alors que c'est ce secteur de l'industrie qui a assuré la croissance des studios hollywoodiens tout au long de la dernière décennie. Bien que ce nivellement soit dû en partie à la popularité des services de téléchargement légaux, il demeure que 2007 est la première année où les ventes de DVD ont décliné aux États-Unis[4].

Du point de vue du marketing, Internet n'a pas été la solution miracle que l'industrie du cinéma espérait. Produit en 2006 par New Line Cinema, le film *Des serpents dans l'avion* fut vigoureusement publicisé sur Internet avant sa sortie en salle, ce qui normalement aurait dû assurer son succès. En plus d'intégrer au scénario des idées provenant de divers blogueurs, New

Line a conçu un site permettant aux internautes de recevoir des appels téléphoniques de la vedette du film, Samuel L. Jackson, et elle a mis sur pied un sondage accessible uniquement aux utilisateurs qui achetaient leurs billets en ligne.

Malgré tout ce branle-bas, le film n'a pas fait des ravages au box-office. Dans une entrevue du *New York Times*, le directeur de production de New Line a admis : « Nos attentes étaient trop élevées en ce qui concerne *Des serpents dans l'avion*. Il a finalement donné un rendement normal pour ce type de film[5]. »

Ces temps-ci, moins de gens vont voir moins de films dans moins de cinémas… et Hollywood s'en ressent. Chez Disney, les ventes nationales au box-office sont passées de 1,5 milliard en 2003 à seulement 962 millions en 2005 ; les revenus totaux de l'entreprise ont chuté de 13 pour cent en 2005, principalement à cause d'une diminution des ventes de DVD. Disney a récemment été obligée d'éliminer 650 emplois et de réduire substantiellement le nombre de films qu'elle produit par année[6]. Paramount a elle aussi sabré dans ses effectifs en éliminant des centaines de postes dans les services liés au DVD et à la production cinématographique. En décembre 2005, Warner Bros. abolissait 400 emplois, faisant tomber des têtes de service dans les secteurs de la programmation, de la comédie et du casting.

Mais le pire reste à venir. Avec l'accroissement de la bande passante, il devient de plus en plus facile de télécharger des films sur Internet. La tornade de piratage qui a ravagé l'industrie du disque va bientôt fondre sur Hollywood. La firme de recherche Park Associates estime actuellement à 660 000 le nombre de personnes qui téléchargent régulièrement des films sur le Net et elle prévoit que ce chiffre se portera à 50 millions d'ici 2010[7]. Admettant que les pourcentages soient semblables à ceux observés dans le domaine de la musique, 49 millions de ces utilisateurs procéderont à des téléchargements illégaux.

Internet commence à menacer la viabilité des salles de cinéma. Click-Star, une société Internet fondée en décembre 2006 par le comédien Morgan Freeman et financée par Intel, fait passer des films indépendants sur Internet le jour même de leur sortie en salle. Cette pratique qui va à l'encontre des stratégies hollywoodiennes traditionnelles contribuera à exacerber la crise qui guette actuellement les exploitants de salles de cinéma. Pourquoi les gens se déplaceraient-ils pour aller voir un film qui est offert sur Internet le jour même de son lancement ? Les technophiles habitués à visionner des films sur leur écran d'ordinateur ne sont pas séduits outre mesure par l'attrait du grand écran.

Les salles de cinéma ne sont pas seules à subir l'assaut de la révolution numérique : les clubs vidéo en arrachent eux aussi, en partie à cause du piratage, mais aussi à cause de la popularité de sites de location de vidéos comme Netflix, où le client choisit ses films sur Internet et reçoit ensuite le DVD par la poste. Alertées à la tendance, les grandes chaînes de vidéoclubs comme Blockbuster sont déjà en train de créer leurs propres services de vente et de location par téléchargement. Mais l'avenir ne s'annonce pas rose pour les clubs vidéo indépendants. Certains d'entre eux demeurent optimistes malgré tout. C'est le cas de Reel Video, un vidéoclub indépendant de Berkeley. Dans un article paru en octobre 2006 dans le *San Francisco Chronicle*, un vendeur de Reel Video déclarait : « On aura toujours une place parce qu'on a notre créneau. On a des tas de films obscurs que vous ne trouverez nulle part ailleurs. »

Bel optimisme. Mais il ne faut pas oublier que le Tower Records de San Francisco avait lui aussi des tas de CD produits par des artistes obscurs. Ou que la librairie Cody's de Telegraph Avenue à Berkeley, qui a récemment fermé ses portes, stockait une vaste sélection de livres et de romans peu connus.

Le libraire : voilà bien une autre victime de Web 2.0. En Amérique, des milliers de librairies indépendantes ont dû fermer boutique parce qu'elles ne pouvaient concurrencer les prix de ses cybercompétiteurs. Outre Cody's, le lecteur qui aime bouquiner regrettera Duttons à Beverly Hills ; A Clean Well-Lighted Place for Books à San Francisco ; ainsi que Coliseum Books, Enticott Books et Murder Ink à Manhattan. La liste est longue : selon une estimation du *New York Times*, 2500 librairies indépendantes auraient fermé leurs portes depuis 1990[8]. Pendant ce temps, l'un des principaux artisans de la ruine du libraire indépendant, le mégamagasin virtuel Amazon.com, annonçait au premier trimestre de 2005 une augmentation de 21 pour cent de ses « ventes de médias » – ce qui inclut les livres.

Et Chris Anderson, ce soi-disant défenseur du quidam qui se tient tout au bout de la longue traîne, que pense-t-il de toutes ces fermetures ? « La leçon à tirer de la longue traîne, c'est que plus il y a de choix, mieux c'est, disait-il au *Los Angeles Times* en février 2007. Toutes ces petites librairies de quartier que l'on aime tant finiront à la casse parce qu'elles ne peuvent pas offrir un choix aussi vaste que leurs compétiteurs sur Internet[9]. » Mais le consommateur aura-t-il vraiment plus de choix quand tous ces libraires indépendants auront fermé boutique ? À la myriade de sympathiques librairies aux rayons remplis de stimulantes découvertes, qui entretiennent de surcroît des liens étroits avec les écrivains locaux, se substituera une oligarchie de mégamagasins virtuels sans âme et sans attrait. L'érudition du libraire qui ne tarit pas de judicieuses suggestions sera supplantée par un algorithme qui nous dira quels livres acheter en se basant sur nos achats précédents et sur ceux d'autres cyberclients. Tout comme la mort de Tower Records nous a limités dans nos choix musicaux, la disparition des librairies indépendantes sera préjudiciable au lecteur, et surtout à ceux qui ont l'habitude de se fier aux recommandations de leur libraire préféré.

La tempête de Web 2.0 n'a pas épargné les réseaux de télévision. La plupart des gens enregistrent aujourd'hui leurs émissions favorites à l'aide d'une enregistreuse numérique ou d'un service comme TiVo, ou alors ils les téléchargent carrément avec un logiciel comme Azureus ou Torrent; actualité et bulletins d'informations sont désormais plus populaires sur Internet que sur les chaînes télévisées. Puisqu'il y a de moins en moins de gens qui regardent les pubs à la télé, les annonceurs sont de plus en plus portés à investir le gros de leur budget sur Internet.

Comme le rapportait si bien le *Wall Street Journal*, les stations de télévision locales sont la pierre qui soutient tout l'édifice de l'industrie. Or, selon le Television Bureau of Advertising, les stations locales américaines auraient réalisé des revenus de 16,8 milliards en 2005 – une baisse de 9 pour cent par rapport à l'année précédente. Cette diminution est attribuable au fait que des commanditaires de premier plan comme Daimler-Chrysler et Ford ont réduit leurs budgets de publicité télévisée – 13 pour cent dans le premier cas, 15 pour cent dans le second – ou ont choisi de concentrer leurs ressources sur Internet. Estimant que les stations locales dont ils sont propriétaires ne génèrent plus suffisamment de profits, des entreprises telles que Viacom, News Corp. et NBC Universal ont entrepris de les liquider. Certaines sociétés, notamment la Tribune Company, envisagent même d'essaimer des groupes de stations entiers.

Alors qu'elle était encore il n'y a pas si longtemps l'outil de divertissement par excellence, la télé s'est aujourd'hui fait damer le pion par l'ordinateur, le téléphone cellulaire et le iPod. Une nouvelle qui a fait la manchette de plusieurs grands quotidiens le 19 octobre 2006 nous permet de saisir toute l'ampleur des conséquences de ce revirement: ce jour-là, NBC Universal a annoncé des suppressions radicales dans sa programmation aux heures de grande écoute, et particulièrement dans ses programmes d'information. Ayant vu ses revenus diminuer progressivement depuis trois ans, le géant médiatique comptait rétablir son taux de croissance d'antan en réduisant ses coûts d'exploitation de 750 millions. Cette initiative que les médias ont baptisée «NBCU 2.0» allait entraîner l'élimination de 700 emplois, ce qui représentait 5 pour cent des effectifs de la société. Premier grand réseau télévisé à reconnaître le potentiel de croissance limité des médias d'information télévisés, NBC annonçait qu'elle sabrerait d'abord dans ses onze divisions d'information et qu'elle consoliderait plusieurs de ses stations locales d'information. Selon David Hazinski, un ancien correspondant de la NBC, la décision de son ex-employeur ne présageait rien de bon : «Il y aura de moins en moins de vrais reportages et, de plus en plus, la programmation va être faite en studio, dit-il. Il va probablement y avoir de plus en plus de célébrités invitées. Les gens ne vont plus regarder les bulletins d'informations pour être mis au courant de l'actualité, mais pour se prêter au culte de la personnalité.» Un sondage effectué par Pew Research en 2006 révèle que 71 pour cent des individus appartenant au groupe démographique des 18 à 29 ans consultent l'actualité sur Internet – peu leur importe que l'information qu'ils y trouvent soit tendancieuse ou erronée. Il est fort probable que ce pourcentage ira en augmentant si les stations de télévision continuent de sabrer dans leurs programmes d'information.

Quand une société médiatique accuse une baisse de profits, des travailleurs perdent leur emploi et des actionnaires perdent leur investissement, mais nous y perdons tous au change puisque la qualité de la programmation va elle aussi en déclinant. À l'annonce des suppressions dans ses services d'information, NBC Universal a également annoncé que la période de 20 h à 21 h, un créneau qui avait accueilli des séries humoristiques immensément populaires telles que *Friends* et *Seinfeld*, serait désormais réservée à des émissions non scénarisées et peu coûteuses à produire – jeux télévisés, émissions de téléréalité, etc. «Les revenus de publicité n'étaient pas assez élevés pour justifier la production d'émissions scénarisées», d'affirmer le président du secteur télévision de NBC Universal, Jeff Zucker.

En même temps que les restrictions de 750 millions, NBC Universal a annoncé qu'elle comptait investir 150 millions de dollars dans des projets liés à Internet, notamment dans la création de sites spécialisés à haut débit, de blogues de comédiens et de «webisodes», ces courts épisodes inspirés de séries télévisées qui sont produits à moindre coût avec des comédiens inconnus, puis diffusés sur Internet. «Nous devons rester efficaces dans notre volonté de prioriser le numérique», disait le PDG de NBC Universal, Bob Wright, au *Wall Street Journal*. «On ne peut pas continuer à dépenser dans le domaine analogique en même temps qu'on engage de nouvelles dépenses dans le numérique.»

Au lieu de savourer des séries dramatiques conçues par des scénaristes de la trempe de Dick Wolfe ou Aaron Sorkin, nous en serons bientôt réduits à regarder des téléréalités, des pastiches bon marché d'émissions existantes, des clips tirés du blogue vidéo de telle ou telle vedette hollywoodienne ou, pis encore, le « Paris Hilton Channel ».

La radio est elle aussi en pleine crise identitaire. Alors qu'ils étaient autrefois l'auditoire radiophonique le plus vaste et le plus dévoué, les adolescents ont complètement délaissé ce médium. L'ado d'aujourd'hui n'écoute plus la radio : les heures d'écoute des 18 à 24 ans ont diminué de 21 pour cent au cours des dix dernières années. Les actions des cinq plus grosses sociétés radiophoniques américaines dont les titres sont négociés sur les marchés publics ont accusé une baisse de 30 à 60 pour cent depuis 2006. Les bénéfices d'exploitation des entreprises de radiodiffusion de la CBS ont chuté de 17 pour cent dans la première moitié de 2006, obligeant la société à liquider certaines de ses stations locales. À l'été 2006, l'entreprise Walt Disney s'est carrément retirée du secteur radiophonique. Et en novembre 2006, Clear Channel, l'un des plus importants radiodiffuseurs en Amérique, a mis en vente 448 de ses 1200 stations[10].

LA FIN DU JOURNALISME

Avec son contenu gratuit et ses petites annonces gratuites, Internet est en train de tuer les journaux et magazines traditionnels. Avec le tarissement de leurs revenus de publicité, les journaux semblent perdre la pertinence qu'ils avaient autrefois. On observe dans leur cas une diminution des tirages, mais aussi des formats. En janvier 2007, le *Wall Street Journal* réduisait sa largeur de 7,6 centimètres – l'équivalent d'une colonne entière en première page –, ce qui a entraîné une diminution du contenu éditorial de l'ordre de 10 pour cent. Le *New York Times* prévoit réduire sa largeur de 3,8 cm[11], imitant ainsi le *Los Angeles Times*, lequel exige déjà de ses journalistes des articles plus courts pour répondre au champ d'attention réduit de l'internaute moyen.

Les tirages sont à la baisse chez presque tous les quotidiens américains. Entre mars et septembre 2006, 770 journaux états-uniens ont vu leur tirage quotidien décroître de 2,8 pour cent comparativement à la même période l'année d'avant. Il s'agit là de la baisse la plus importante de toute l'histoire du journalisme américain[12]. Après avoir écopé d'un déficit de 40 millions de dollars en 2004, le *San Francisco Chronicle* a vu son tirage baisser de plus de 16 pour cent en 2005 et en 2006. De 1,2 million d'exemplaires quotidiens en 1990, le *Los Angeles Times*, qui a connu une baisse de 8 pour cent de 2004 à 2006, ne tire plus aujourd'hui qu'à 908 000 exemplaires, soit moins qu'en 1968. De 2003 à 2006, le *Boston Globe* a vu le tirage de son édition du dimanche diminuer de 25 pour cent. Le *Dallas Morning News* a connu une diminution de tirage de 13 pour cent dans la première moitié de 2006[13]. Même le *New York Times* entrevoit l'avenir avec pessimisme, et pour cause : en dépit de son tirage relativement stable, le prestigieux quotidien a vu la valeur de ses titres chuter de 50 pour cent au cours des cinq dernières années[14].

Cette diminution catastrophique des tirages incite les annonceurs à se tourner vers Internet, où les attend un auditoire plus vaste et plus facile à cibler. Bien que, dans l'ensemble, les revenus de publicité des journaux aient été au beau fixe en 2006, les analystes de la société Merrill Lynch prévoient qu'ils seront à la baisse en 2007 – un phénomène qui ne s'était produit jusqu'ici qu'en temps de récession. Presque tous les grands quotidiens nationaux ou métropolitains sont touchés. Au deuxième trimestre de 2006, les revenus de publicité du *Boston Globe* étaient de 12,4 pour cent inférieurs à ceux de la même période en 2005. Les revenus de publicité du *Wall Street Journal* étaient de 5,9 pour cent moins élevés en septembre 2006 qu'en septembre 2005. La Belo Corporation, qui publie le *Dallas Morning News* et le *Providence Journal*, a déclaré au troisième trimestre de 2006 une diminution de 19 pour cent de ses revenus de publicité totaux[15].

Les sites de petites annonces gratuites comme Craigslist contribuent au manque à gagner des journaux. Une étude du Pew Internet and American Life Project démontre que l'achalandage des sites de petites annonces a augmenté de 80 pour cent en 2005 – Craigslist aurait accueilli cette année-là près de 9 millions de visiteurs[16].

Quand une entreprise voit ses revenus baisser, elle réagit en supprimant des postes, ce à quoi les journaux n'ont pas échappé. La Newspaper Association of America estime que le nombre d'individus travaillant dans l'industrie journalistique a diminué de 18 pour cent entre 1990 et 2004, une baisse importante principalement due au redimensionnement des entreprises et aux mises à pied[17]. En mai 2005, la New York Times Company procédait à 200 mises à pied, 130 postes ayant été abolis au *New York Times* même et le reste au *Boston Globe* et au *Worcester Telegram & Gazette*. Quelques mois plus tard, l'entreprise éliminait 500 autres emplois, soit environ 4 pour cent de ses effectifs. Avec 88 pour cent de plus de postes abolis que l'année précédente – 9453 suppressions en 2005 contre 17 809 en 2006 –, l'année 2006 fut particulièrement funeste pour les journalistes américains[18]. En mars, le *Washington Post* annonça qu'il prévoyait faire 80 mises à pied durant l'année. Puis on assista en octobre à une véritable succession de mises à pied, d'abord au *Plain Dealer* de Cleveland (65 mises à pied), puis au *San Jose Mercury News* (101 mises à pied), au *Philadelphia Inquirer* et au *Philadelphia Daily News*.

À l'automne 2006, au terme d'une confrontation qui avait duré plusieurs mois, Jeffrey M. Johnson, éditeur du *Los Angeles Times*, et son rédacteur en chef Dean Baquet furent congédiés parce qu'ils refusaient d'appliquer les restrictions budgétaires et mises à pied commandées par le *Chicago Tribune*, siège social du *L. A. Times*. Fidèles employés qui totalisaient ensemble plus de 25 ans d'ancienneté au sein de l'entreprise, Johnson et Baquet avaient déjà effectué 200 suppressions de postes, réduisant de 20 pour cent le personnel de la salle de rédaction, depuis que le *Tribune* avait acheté le *Times* en 2000. Mais quand leurs patrons ont demandé de procéder à de nouvelles suppressions, Johnson et Baquet ont décidé que c'en était trop. À La Nouvelle-Orléans, dans un discours enflammé qui a scellé son licenciement, Baquet a déclaré qu'un rédacteur en chef doit s'opposer aux suppressions ordonnées par ses patrons, cela afin de maintenir la crédibilité et l'intégrité journalistique des journaux dont ils sont propriétaires[19]. L'ironie de la chose, c'est que la crise financière du *Los Angeles Times* est due en grande partie au fait que les budgets de publicité de l'industrie cinématographique hollywoodienne ont diminué de 17 pour cent en 2006. C'est le pendant négatif de l'idéal synergétique des nouveaux médias, en ce sens qu'ici une crise dans un secteur des médias a entraîné une crise dans un autre secteur.

Tout comme les journaux, les magazines ont eu droit à des restrictions draconiennes. Après avoir procédé à plus de 100 mises à pied en décembre 2005, Time Inc. éliminait 300 postes de plus en janvier 2007, sabrant dans le personnel des populaires magazines *People*, *Sports Illustrated* et *Time*. À la suite de ce licenciement massif, l'entreprise a fermé ses bureaux à Los Angeles, à Chicago, à Atlanta, à Miami et à Austin. En août 2004, la filiale américaine du puissant éditeur allemand Gruner & Jahr, qui publie des magazines très prisés tels *Fast Company*, *Fitness* et *Family Circle*, annonçait des compressions de l'ordre de 25 millions de dollars ainsi qu'une réduction du personnel de 15 pour cent. Tout cela en vain puisque l'entreprise a finalement décidé de vendre ses magazines à perte[20].

Cela fait beaucoup d'emplois perdus, vous ne trouvez pas? Certains diront qu'un changement économique majeur entraîne toujours un redimensionnement des entreprises dans certains secteurs et la création de nouveaux emplois dans d'autres secteurs. La théorie est séduisante, mais le fait est que l'économie Web 2.0 ne crée aucun emploi pour remplacer ceux qu'elle supprime. Prenez Craigslist, par exemple. Fondé en 1995 par Craig Newmark, un militant politique et adepte de la contre-culture que la revue *New York* a qualifié de « réfugié d'IBM[21] », ce site qui est le septième au monde quant à la popularité a fait chuter les revenus de publicité de quantité de journaux, mais n'a pas offert grand-chose à l'économie en retour. L'entreprise a ses bureaux tout près de l'océan Pacifique, dans un vieil édifice victorien d'un quartier résidentiel de San Francisco, et elle emploie en tout et pour tout 22 employés à temps plein. Annoncer sur Craigslist ne coûte rien, mais en vérité cette gratuité a un prix : chaque annonce que l'on retrouve sur ce site international soustrait des revenus à un journal local. Ancien vice-président des médias numériques au *San Francisco Chronicle*, Bob Cauthorn évalue à 50 millions le manque à gagner que Craigslist occasionne annuellement aux journaux de la région de San Francisco.

Les travailleurs qui ont perdu leur emploi au *Chronicle* et au *San Jose Mercury News* en 2006 peuvent remercier Craig Newmark et ses 22 employés de cette délicatesse.

Grand responsable du déclin des ouvrages de référence et des médias d'information traditionnels, Wikipédia n'emploie qu'une poignée de travailleurs à plein temps, incluant son fondateur, Jimmy Wales. Cela rappelle le passage très cité du roman satirique de Sir Thomas More, *L'Utopie*, écrit en 1515 en réaction aux « Lois d'enclosures » qui bannissaient les paysans des terres des grands propriétaires terriens, où les moutons sont devenus « si voraces, si féroces qu'ils dévorent jusqu'aux hommes ». Cinq cents ans plus tard, dans la prétendue utopie de Web 2.0, rien n'a changé : la palme revient encore à une poignée de privilégiés ; les ordinateurs dévorent les journalistes et privent des millions de gens de leur gagne-pain ; et les propriétaires terriens de More ont été remplacés par des gestionnaires à la tête d'entreprise milliardaires comme MySpace, Google et YouTube.

Le moins qu'on puisse dire, c'est que les gars de YouTube ont trouvé le moyen de s'enrichir. Le mercredi 11 octobre 2006, cinq jours après que les 89 magasins de Tower Records ont été vendus pour la somme ridicule de 134,3 millions, Chad Hurley et Steven Chen, les fondateurs de YouTube, lunchaient avec Larry Page, un des fondateurs de Google, et avec le président de l'entreprise, Eric Schmidt. Au terme de ce dîner d'affaires qui s'est déroulé à Silicon Valley, dans un restaurant Denny's situé non loin des bureaux de YouTube, les quatre hommes ont conclu une entente : Google achèterait YouTube et son personnel de 60 employés pour la modique somme de 1,65 milliard de dollars. Pas mal pour une entreprise peu rentable dont l'ensemble du contenu est produit gratuitement par des amateurs ! Et comme YouTube n'emploie pas de journalistes, de rédacteurs, de producteurs, de publicistes, qu'elle n'offre aucun service de soutien ou service à la clientèle, on peut dire que ce 1,65 milliard représente un bénéfice net.

La crise à laquelle les journaux font face n'est évidemment pas exclusivement imputable à Internet. Les chaînes d'information télévisées ont elles aussi contribué au phénomène. Et puis, bien des journaux se sont sabotés eux-mêmes en migrant vers Internet, médium où prévaut la gratuité et où le contenu est facile d'accès. Dans sa version papier, le *New York Times* compte 2,7 millions d'abonnés (1,1 million d'abonnés quotidiens, 1,7 million d'abonnés à l'édition du dimanche) qui leur rapportent un revenu annuel oscillant entre 1,5 et 1,7 milliard de dollars. La version en ligne du journal, qui est gratuite, accueille 40 millions de visiteurs par mois, mais ne rapporte que 200 millions de dollars par année[22].

Si la migration vers la version en ligne se poursuit, le *New York Times* devra compromettre la proverbiale qualité de son contenu éditorial en remplaçant ses reportages percutants par du contenu divertissant et d'intérêt général, cela dans le but de séduire une clientèle plus jeune et moins éduquée. La transformation est déjà amorcée chez certains grands quotidiens. En réponse à la diminution des tirages (en baisse de 18 pour cent en 2005) et des revenus de publicité (26 pour cent de moins en 2005), les dirigeants du *Los Angeles Times*, un quotidien sérieux qui a remporté 15 prix Pulitzer entre 2000 et 2005, ont ordonné à leurs rédacteurs de publier davantage de chroniques mondaines s'intéressant aux vedettes hollywoodiennes. En octobre 2006, le *L. A. Times* lançait le « Manhattan Project », une initiative visant à donner au journal une nouvelle vitalité et à lui attirer un plus vaste lectorat. Mais la véritable mission du projet Manhattan consiste sans doute à transformer la version imprimée du journal pour qu'elle ressemble plus étroitement à la version en ligne, laquelle renferme moins de reportages sérieux et d'information-choc et davantage de contenu lié au monde du spectacle ou à des événements locaux[23].

Qu'adviendra-t-il si cette stratégie échoue, si les journaux imprimés ne parviennent pas à attirer un lectorat suffisamment nombreux pour assurer leur rentabilité? Le magazine financier *The Economist* prédit que la moitié des journaux des pays développés disparaîtront au cours des prochaines décennies[24]. Le modèle d'entreprise du *New York Times* nous permet de mieux comprendre les ténébreux défis que les médias numériques imposent aux journaux établis. Le chroniqueur new-yorkais Michael Wolff estime que le site Internet du *New York Times* ne pourra être aussi rentable que la version papier du journal que s'il attire un auditoire de 400 à 500 millions de lecteurs par mois, ou alors il devra compromettre son contenu éditorial de façon à mieux servir les intérêts des annonceurs. Wolff s'exprime en ces termes :

> Le *Times* virtuel sera un échec s'il continue d'essayer de pasticher la version papier (l'idée qu'une entreprise traditionnelle puisse se transformer tout à coup en une vaste société spéculative m'apparaît pour le moins douteuse). Le mieux que le *Times* puisse espérer, c'est d'occuper un créneau spécialisé sur Internet, mais pour cela il devra réduire sévèrement son budget de 300 millions. Il pourrait par exemple se donner une vocation similaire à About.com et devenir une sorte de grossiste de l'information qui, pour gonfler le nombre des visites, incite les amateurs et fétichistes de tout acabit à contribuer aux données qui, en fin de compte, profiteront surtout aux annonceurs. C'est de toute manière ce type de clientèle que Times.com attire en ce moment[25].

Où les sites d'information en ligne prendront-ils leur contenu si les journaux et les bulletins télévisés disparaissent ? Où les Matt Drudge et les Instapundit de ce monde prendront-ils leur information ? Comment feront-ils pour commenter la guerre en Irak ou les élections présidentielles s'ils ne peuvent s'appuyer sur les organismes professionnels qui ont les ressources et l'autorité nécessaires à la production de reportages initiaux ? En l'absence de médias d'information traditionnels, les sites d'information et d'actualité en ligne aspireront-ils à nous exposer des faits véridiques ou se contenteront-ils de nous présenter de pures inventions ? Quel site aura les moyens, la faculté et la volonté de financer un authentique journalisme d'enquête ? Ce type de journalisme cessera-t-il tout simplement d'exister ? Un rapport produit en 2006 par la Carnegie Corporation de New York pose la question suivante : « Si les journaux dépérissent, les institutions qui les remplaceront seront-elles capables de tenir le citoyen informé dans la mesure où il doit l'être au sein d'un système démocratique[26] ? »

Pour un intellectuel de la vieille école comme Michael Wolff, un monde sans *New York Times* serait tel un monde dont Dieu lui-même serait absent. « Je ne veux même pas y penser, dit-il. C'est trop monumental, trop lourd à contempler d'un point de vue existentiel. »

Le *New York Times* n'est évidemment pas seul à pâtir. L'ensemble de notre économie culturelle est aujourd'hui en péril. J'ai bien peur que d'ici peu toute la musique que nous entendrons sera composée et exécutée par des musiciens amateurs ; tous les films et toutes les émissions télé seront canalisées sur YouTube et seront eux aussi l'œuvre d'amateurs ; et l'actualité sera remplacée par des potins de célébrités noyés dans une mer d'annonces publicitaires. Le journaliste d'enquête sera-t-il évincé au même titre que le paysan de Thomas More dans l'Angleterre du xvie siècle ? Dieu ne sera peut-être pas totalement absent de notre avenir numérique, mais le commerce et la culture, eux, sont bel et bien en voie de disparaître.

OÙ EST PASSÉ L'ARGENT ?

L'art et la culture ont toujours été comme un pont jeté entre les générations. Ils sont notre héritage et contribuent aussi à la production de richesse. Or, la vocation première des entreprises Web 2.0 n'est pas de contribuer au patrimoine culturel, mais de générer des revenus de publicité. Google est l'exemple parfait de ce type d'entreprise. Forte d'une valeur en bourse d'environ 150 milliards, la société de Silicon Valley a réalisé en 2005 des profits de 1,46 milliard sur un revenu brut de 6,139 milliards. Les chiffres sont impressionnants, mais ce qu'on ne dit pas, c'est que Google est essentiellement une entreprise parasitaire : contrairement à des sociétés comme Disney ou Time Warner qui produisent des films, de la musique, des magazines et des émissions de télévision, Google ne crée aucun contenu. La seule chose qu'elle a créée, c'est un algorithme qui lie des contenus préexistants entre eux sur Internet et qui facture les annonceurs chaque fois que l'utilisateur clique sur un de ces liens. On peut donc difficilement parler ici de « création de valeur ».

Les revenus de Google proviennent à 99 pour cent de la vente de publicité. Dans ce secteur de l'industrie, Google détient la part du lion : sur les 16 milliards qui ont été dépensés pour la publicité en ligne en 2006, 4 milliards reviennent à Google, soit 25 pour cent du marché[27]. Larry Page et Sergei Brin, les fondateurs maintenant multimilliardaires de Google, sont les nouveaux ploutocrates de Web 2.0. Leur trait de génie aura été de transformer le contenu gratuit généré par les internautes en une gigantesque machine à pub valant des dizaines de milliards de dollars.

Google illustre bien le modèle d'entreprise qui prévaut à l'ère de Web 2.0. Cinq cents millions de dollars ont été investis en 2006 dans des sites communautaires comme Bebo, Zimbra, Facebook, Six Apart ou Xanga, dont la seule vocation est de diffuser du contenu gratuit généré par l'utilisateur. Les sites de ce genre sont présentement la coqueluche de Silicon Valley. Bien qu'ils ne fassent rien d'autre que de fournir une plateforme permettant aux utilisateurs de s'exprimer et de communiquer entre eux, ces sites valent des millions, parfois même des milliards de dollars. Tous les secteurs du marché exploitent en ce moment ce modèle d'entreprise : l'industrie du voyage (RealTravel) ; les communautés virtuelles (Second Life) ; la planification d'événements (Zvents, Eventful, Upcoming) ; les blogues (Technorati) ; les petites annonces (Edgieo) ; le contenu audio (Podshow) ; la pornographie (Voyeurweb). Même les sites qui recyclent les courriels à des fins de divertissement – FWDitOn, par exemple – attirent les annonceurs.

Lors du premier boom d'Internet, le nombre de visites était le critère utilisé pour déterminer la valeur d'un site. Aujourd'hui, on évalue la valeur d'un site au nombre de pages de contenu généré par l'utilisateur qu'il contient, la logique étant que plus il y a de pages, plus il y a d'espace pour le contenu publicitaire. La quantité de publicité qu'il y a sur Internet augmente à un rythme vertigineux – on a observé une augmentation de 30 pour cent en 2005 et de 28 pour cent en 2006 –, aussi des sites tels que YouTube, MySpace et Facebook sont-ils devenus de véritables mines d'or potentielles. Cela explique pourquoi YouTube a été vendu 1,65 milliard alors qu'il ne génère actuellement que des revenus négligeables ; pourquoi News Corp. a acheté MySpace au prix de 580 millions (une affaire, considérant sa valeur actuelle) ; et pourquoi la valeur de Facebook est évaluée à plus de 1 milliard de dollars. MySpace ne rapporte peut-être pas grand-chose à l'heure actuelle (même que, selon la revue *Fortune*, le site aurait été déficitaire en 2005), néanmoins Jordan Rohan, analyste chez RBC Capital, prédit qu'il vaudra 15 milliards d'ici trois ans.

Pensez-y. Quinze milliards de dollars pour un site qui ne contient rien d'autre que des profils créés par ses utilisateurs. Si chaque page ajoutée à MySpace augmente la valeur de l'entreprise, il y a fort à parier qu'ils commenceront bientôt à payer les utilisateurs chaque fois qu'ils publient un commentaire ou mettent une photo en ligne. Ne riez pas ! Le site Panjea.com s'engage déjà à partager 50 pour cent de ses revenus publicitaires avec les utilisateurs qui mettent en ligne de la musique et des photos sur le site. YouTube songe aussi à mettre sur pied un système de partage de ses revenus pour récompenser la « créativité » de ses utilisateurs. C'est du moins ce que prétendait Chad Hurley en janvier 2007. À l'occasion d'un entretien avec un reporter de la BBC au Forum économique mondial de Davos, en Suisse, le fondateur de YouTube a dit qu'il était en train de mettre au point une technologie qui permettrait de remettre à l'utilisateur une part des revenus publicitaires de l'entreprise[28].

Tandis que nos magasins de disques, nos journaux et nos stations de radio luttent pour leur survie, nous investissons tout notre capital dans des entreprises qui n'offrent rien de plus qu'un espace publicitaire infini créé par les élucubrations d'amateurs qui ne pourraient rien publier ou diffuser sur une source autre qu'Internet.

LE CHANT DU CYGNE

C'est en 2005, lors d'un entretien avec le légendaire réalisateur de disques Alan Parsons, que j'ai été frappé par l'ampleur de la perte culturelle subie à cause d'Internet.

Parsons a acquis ses lettres de noblesse en tant qu'ingénieur du son sur *Abbey Road* des Beatles et sur le chef-d'œuvre de Pink Floyd, *Dark Side of the Moon*, deux albums qui ont connu un succès fabuleux. *Dark Side* s'est vendu à plus de 40 millions d'exemplaires depuis sa sortie en 1973, ce qui en fait le 20e album le plus vendu de tous les temps. *Abbey Road*, avec sa couverture iconique sur laquelle on voit les Beatles traverser ladite rue, a été certifié 15 fois platine et occupe le 65e rang des ventes de disques dans l'histoire.

Abbey Road et *Dark Side of the Moon* symbolisent l'apothéose de l'économie des médias de masse qui a forgé le xxe siècle. Ces albums ont marqué leur époque en s'imposant comme événements culturels, sociaux et politiques, mais ils ont aussi rapporté beaucoup d'argent. En 2002, soit près de 30 ans après sa sortie, les ventes de *Dark Side of the Moon* continuaient d'aller bon train avec 400 000 exemplaires écoulés, ce qui en faisait le 200e album le plus vendu de l'année.

Ma rencontre avec Alan Parsons a eu lieu au *Media Business Five* (MB5), une conférence annuelle que j'ai moi-même organisée en 2000 et à laquelle j'invite traditionnellement une centaine de visionnaires issus de divers milieux médiatiques. C'est pour nous l'occasion de discuter de l'avenir de l'industrie du spectacle et de l'information.

La grande question du MB5 de 2005 était : « Où est passé l'argent ? » La conférence accueillait cette année-là moult invités prestigieux : Alan Parsons, bien entendu ; Jonathan Taplin, producteur hollywoodien ayant à son actif le film *Mean Streets* de Martin Scorsese ; Frank Casanova, directeur marketing chez Apple ; Chuck D de la formation rap Public Enemy, qui est l'un des premiers rappeurs sérieux de l'industrie ; Chris Schroeder, qui était PDG de la version en ligne du *Washington Post* à l'époque ; le fondateur de MP3.com, Michael Robertson ; ainsi que plusieurs autres personnages de premier plan de Hollywood et de Silicon Valley.

Mais revenons-en à ma conversation avec Alan Parsons. Déjà, en 2005, Parsons en avait conclu qu'on ne saurait jamais « où est passé l'argent » et que, de toute manière, l'industrie du disque se mourait à petit feu. Ce qui avait été fête n'était plus aujourd'hui qu'obsèques.

« Êtes-vous triste ? ai-je demandé.

– Oui, très triste, a-t-il répondu. Mais je m'estime chanceux d'avoir connu " la belle époque", si j'ose m'exprimer ainsi. »

Les musiciens et réalisateurs de demain pourront sans doute monnayer leur talent en composant des pubs de condoms ou de cappuccinos, toutefois l'époque glorieuse qui a donné naissance à des albums de l'envergure d'*Abbey Road* est bel et bien révolue.

Les paroles de la chanson « Money » de l'album *Dark Side of the Moon* sont, à mon sens, teintées aujourd'hui d'une étrange nostalgie : elles dépeignent cette « belle époque » qu'évoque Alan Parsons, cet âge d'or des médias de masse durant lequel un album pouvait s'écouler à 40 millions d'exemplaires chez des disquaires tel Tower Records ; une époque où la subtilisation de la propriété intellectuelle, se limitant quasi exclusivement au vol à l'étalage, n'avait pas l'ampleur destructrice de ce piratage qui fait fi de 200 ans de lois sur le droit d'auteur et menace de faire s'écrouler des industries entières. Maintenant que le Tower Records de San Francisco, qui était le plus grand magasin de disques du monde, a fermé ses portes, il ne nous reste plus qu'à faire nos adieux à l'une des industries culturelles les plus vénérées des temps modernes.

CHAPITRE 6

Un désordre moral

TU NE VOLERAS POINT

Brianna LaHara, 12 ans, a découvert les plaisirs du téléchargement durant l'été de 2003. Au lieu de passer ses vacances à faire de la bicyclette avec les copines ou à flâner à la piscine municipale, Brianna a téléchargé illégalement plus de 1000 chansons qu'elle a copiées ensuite pour les distribuer à ses amis. C'était une activité somme toute banale pour une adolescente de son âge; aussi, quelle ne fut pas sa surprise quand la Recording Industry Association of America est venue frapper à sa porte pour l'informer qu'elle était inculpée dans l'une des 261 poursuites intentées par l'industrie du disque pour dissuader le partage de fichiers illégal.

L'affaire s'est soldée par un règlement hors cour, mais la question demeure: Brianna LaHara faisait-elle partie d'un réseau international de vol numérique ou avait-elle naïvement commis une erreur de jeunesse? La jeune écolière new-yorkaise n'étant évidemment pas une criminelle endurcie, on retiendra surtout la seconde hypothèse, surtout qu'elle prétend ignorer que ce qu'elle faisait était mal. « Je pensais avoir le droit de télécharger de la musique parce que ma mère a payé pour s'abonner à un service de téléchargement », dit Brianna. En principe, cet abonnement ne lui permettait pas de télécharger, copier et distribuer des chansons, toutefois il n'est pas étonnant qu'elle l'ait fait: partager des fichiers et télécharger de la musique est devenu la norme en cette ère du copier-coller, et particulièrement chez les jeunes. Les adeptes du téléchargement illégal ne sont pas tous armés de mauvaises intentions, mais reste que le vol de propriété intellectuelle sur Internet est une pandémie aussi virulente et dévastatrice que le serait la grippe aviaire.

Quand on fait du téléchargement illégal, c'est comme si l'on jetait dans la corbeille de notre ordinateur cette règle éthique, fondamentale dans nos sociétés judéo-chrétiennes, qui nous dit de respecter la propriété d'autrui – *Tu ne voleras point*, de nous intimer l'un des dix commandements. Qu'on le nomme emprunt, copiage, collage, remixage ou *mash-up*, le vol de propriété intellectuelle est devenu l'activité la plus répandue sur Internet. Or, cette activité est en train de corrompre et de transformer notre culture et nos valeurs. La kleptocratie de masse qui fait loi sur Internet a pris des proportions terrifiantes. Et je ne parle pas seulement des 20 milliards ou des 2,3 milliards qui sont respectivement subtilisés chaque année à l'industrie du disque et à celle du cinéma. Par-delà les pertes financières qu'il occasionne, le téléchargement illégal a engendré dans nos sociétés un désordre moral : cette activité est aujourd'hui si courante, si ordinaire que même les gens les plus honnêtes, même les citoyens les plus respectueux des lois s'y adonnent avec insouciance. « Comment est-on censé savoir que c'est illégal ? » me demandait un comptable de Redwood City, Californie, tandis qu'il copiait une liste d'écoute à distribuer à ses amis.

Le piratage de films et de musique a donné lieu à une plus vaste problématique : en cette ère où n'importe qui peut manipuler et transformer un contenu en quelques clics de souris, qui est le véritable propriétaire d'un contenu donné ? En embrouillant ainsi le concept de propriété, la technologie de Web 2.0 a engendré toute une génération de plagiaires, de voleurs de droits d'auteur qui n'ont aucun respect pour la propriété intellectuelle. Non contents de chaparder des films et de la musique, ils volent aussi des articles, des photos, des missives, des romans, des études, des recherches, des vidéos, des chansons publicitaires et à peu près n'importe quoi d'autre qui peut être numérisé puis copié électroniquement. Nos enfants téléchargent du contenu sur Internet, puis se l'approprient dans leurs travaux scolaires. Même les étudiants universitaires incorporent à leurs thèses et travaux du contenu volé sur Internet, faisant passer les idées et le travail des autres pour leur sien propre. Que vaut un diplôme en ces circonstances ?

En juin 2005, le Center for Academic Integrity (CAI) publiait une étude menée auprès de 50 000 étudiants et étudiantes de premier cycle qui révélait que 70 pour cent d'entre eux trichent ou plagient à l'occasion. Mais le pire, c'est que 77 pour cent des participants ne considéraient pas le plagiat sur Internet comme un problème sérieux. On peut donc dire que la révolution numérique a engendré une génération entière de brigands du copier-coller qui croient que tout le contenu qu'il y a sur Internet relève du domaine public.

Cette définition tordue de la propriété, et de la propriété intellectuelle en particulier, n'est pas l'apanage du corps étudiant ou d'une cyberélite. Le clergé a lui aussi fait du plagiat son péché mignon. Selon le *Wall Street Journal*, de plus en plus de prêtres et de pasteurs récitent mot pour mot des sermons téléchargés sur des sites tels que sermoncentral.com, sermonspice. com ou desperatepreacher.com. Ces plagiaires ecclésiastes ne disent évidemment pas à leurs ouailles qu'ils ne sont pas les véritables auteurs de ces bonnes paroles. Le pasteur floridien Brian Moon admet avoir prononcé un sermon acheté sur le site d'un autre prédicateur pour la modique somme de 10 $. « Ça ne sert à rien de réinventer la roue, dit-il. Pourquoi se casser la tête à essayer de composer soi-même quelque chose de bien quand on a déjà accès à un bon produit[1] ? »

Dans l'univers de Web 2.0, il est si facile de s'approprier le travail et les idées d'autrui que même les prêtres, qui sont censés être des modèles de vertu, ne peuvent s'empêcher de céder à la tentation.

Lawrence Lessig, qui est pourtant professeur de droit à l'Université Stanford, estime que le « partage légal » et la « réutilisation » de la propriété intellectuelle sont des bienfaits pour la société. Nous avons vu au chapitre 1 que Lessig est en faveur d'un Internet participatif où l'utilisateur est libre de remixer et de remanier tout contenu sans restriction aucune. Cela sous-entend que le contenu numérique, qu'il soit chanson, vidéoclip, roman ou photo, devrait être une propriété publique que chacun peut utiliser à sa guise. Lessig ne semble pas se préoccuper du fait que tout ce contenu que les utilisateurs se partagent librement sur Internet a été rédigé ou composé par un artiste, par un créateur travaillant à la sueur de son front dans l'expression disciplinée de son talent.

La technologie numérique n'est évidemment pas seule responsable de la flambée de téléchargement illégal et de plagiat qui fait rage aujourd'hui. Le partage de fichiers est au cœur même de la culture Web 2.0 et les outils qui rendent cette pratique possible sont disponibles à tout venant. Aujourd'hui, n'importe qui peut voler ou plagier du contenu avec une facilité déconcertante. Le vol de propriété intellectuelle est devenu une tentation à laquelle nous ne pouvons nous soustraire – j'irais jusqu'à dire que cela a créé en nous une certaine dépendance. Alors on se dit « pourquoi pas », surtout que l'on fait ça chacun chez soi, ni vu ni connu. Il est aisé de voler lorsqu'on est loin du regard accusateur des individus que l'on dérobe.

S'approprier ainsi le labeur créatif des autres est non seulement illégal, mais immoral. Que cette pratique ait obtenu l'approbation d'une vaste majorité d'individus ne la rend pas acceptable pour autant. Bien au contraire, en fermant les yeux sur ce comportement, nous menaçons le fondement d'une société qui doit son évolution au travail, à l'innovation et aux accomplissements intellectuels de ses auteurs, artistes, musiciens, compositeurs, journalistes, cinéastes et scientifiques.

Professeur à l'Université de Stanford, Denise Pope prétend que le plagiat et la tricherie qui sévissent dans nos écoles sont symptomatiques de la pression excessive que le milieu universitaire exerce sur ses étudiants. « Les étudiants ont une raison logique de tricher, dit-elle. Quand ils sont encore en train de plancher à trois heures du matin, qu'ils sont épuisés et ont peur que le prof leur donne un gros zéro, ils préfèrent jouer le tout pour le tout en plagiant[2]. »

Le problème dans tout ça, c'est qu'un étudiant qui triche n'apprend rien. Et en volant le travail des autres, ce n'est pas uniquement aux individus qu'il dérobe qu'il fait du tort, mais à la société entière.

LE JEU SUR INTERNET

Le braqueur, un jeune homme de 19 ans, tenait un billet écrit à la main entre ses mains moites. L'excitation qui l'empoignait en ce moment ressemblait étrangement à la poussée d'adrénaline qu'il ressentait quand il jouait au poker en ligne : il avait la gorge sèche, son cœur battait la chamade, son visage était brûlant, le tout se combinant pour former une sorte d'euphorie nauséeuse.

Il éprouvait aussi la même impuissance, comme si quelqu'un d'autre agissait à sa place. Il avait l'impression que quelqu'un d'autre avait rédigé ce billet qu'il glissait vers la caissière, ce bout de papier sur lequel était écrit : *Je veux 10 000 $ comptant. Je suis armé. Faites ça vite sans rien dire aux autres, sinon je tire !*

Sensation d'irréalité. Était-ce bien lui qui était là devant la caissière ? N'était-ce pas quelqu'un d'autre qui était en train de commettre ce hold-up ?

La caissière lut la note, stupéfaite. Dans l'esprit du jeune braqueur, tout devint silencieux. C'est ce même silence qui suit la dernière relance au poker.

Tout dans la petite banque d'Allentown, Pennsylvanie, se fige dans une immobilité absolue. Le temps s'arrêta. C'était à la caissière de jouer. Allait-elle obtempérer et lui remettre l'argent ? Devinerait-elle qu'il bluffait quand il disait être armé ?

Hiyam Chatih, la caissière de la Wachovia Bank, regarda fixement l'ado qui lui avait remis le billet. Son visage de chérubin faisait contraste avec la veste de flanelle verte et la casquette de baseball rouge qui constituaient l'essentiel de son habillement. Il avait l'air d'un enfant de chœur qui se serait malencontreusement engagé dans la mauvaise voie. Son regard vitreux et son allure débraillée laissaient supposer qu'on avait affaire à un fou ou à un drogué. Cela suffit à convaincre Chatih qui remit au voleur les 2871 $ qu'il y avait dans sa caisse. Le jeune détrousseur fourra l'argent dans son sac à dos, sortit précipitamment et courut en direction du véhicule de fuite qui l'attendait dehors. Il sauta dans la Ford Explorer noire, côté passager, et aussitôt le chauffeur démarra en trombe dans l'après-midi enneigé.

La police appréhendera le voleur plus tard dans la soirée sur le site du campus de l'Université Lehigh, lequel se trouve non loin du lieu du crime. Le jeune desperado, qui était second violoncelle dans l'orchestre philharmonique de l'université, se rendait à une répétition au moment de sa capture, comme si de rien n'était. Il s'appelait Greg Hogan.

L'affaire avait de quoi étonner en ce sens que Hogan était un étudiant modèle. Outre ses activités musicales, il était président de la promotion 2008 de Lehigh et assistait l'aumônier de l'université dans ses fonctions.

Peu après son arrestation, Hogan a appelé sa mère sur son téléphone cellulaire. « Maman, je suis vraiment dans le pétrin, a-t-il avoué. J'ai fait une grosse connerie[3]. »

Qu'est-ce qui aurait pu pousser le président de la promo 2008 à tout foutre en l'air pour 2871 malheureux dollars ? La triste vérité, c'est que Greg Hogan était accro au poker en ligne. Au cours des 12 mois précédant le vol de banque, il avait perdu 7500 $; avait demandé 45 autorisations de découvert bancaire ; avait emprunté de l'argent à sa famille et à ses confrères de Sigma Phi Epsilon, son association étudiante ; et avait subtilisé du coffre-fort familial les 1200 $ en obligations d'épargne que ses parents économisaient pour lui depuis sa naissance.

Ce qui avait débuté par une mise de 75 $ sur pokerstars.com avait vite dégénéré en obsession. Hogan séchait ses classes pour s'adonner à son nouveau vice, jouant parfois jusqu'à 14 heures d'affilée sans dormir et sans manger. Ce brillant étudiant et fils d'un pasteur baptiste de l'Ohio ne vivait plus que pour le jeu en ligne. C'est sans doute ce qui l'a poussé à jouer son hold-up comme une main de poker. Malheureusement, en ce cas-ci, personne ne pouvait lui sauver la mise : Hogan a perdu et le prix à payer était de dix ans de prison.

Sur le plan musical, Greg Hogan était un enfant prodige – à 13 ans, il avait déjà donné deux récitals de piano à Carnegie Hall. Scolarisé jusque-là par sa mère, il avait décroché à l'âge de 14 ans une bourse d'études à la University School, l'une des écoles privées les plus prestigieuses de l'Ohio.

Étudiant d'exception, le jeune Hogan excellait dans toutes les matières. Il jouait du piano et du violoncelle dans l'orchestre de l'école et se joignit à l'organisation des jeunes républicains, ce qui l'amena à faire du bénévolat pour des juges et des politiciens de l'Ohio. Dans l'album des finissants de la University School, Greg inscrivit sous sa photo une citation de Winston Churchill : *L'histoire me sera clémente, car c'est moi qui l'écrirai.*

Plus tard, à l'Université Lehigh, Hogan passera à l'histoire, mais sûrement pas comme il l'aurait espéré.

Greg Hogan est loin d'être la seule victime du jeu en ligne. La prolifération de sites tels que PartyGaming, SportingBet, 888.com, BetonSports et Bodog.com a fait de cette pratique un fléau national. En 2005, année où Hogan a dévalisé la Wachovia Bank d'Allentown, les joueurs de poker en ligne ont parié à eux seuls près de 60 milliards de dollars. Une étude publiée cette année-là par l'Annenberg Public Policy Center révèle que 1,6 million d'étudiants de niveau collégial et 1,2 million d'individus de moins de 22 ans s'adonnent régulièrement au jeu en ligne, et que le nombre d'étudiants de niveau collégial de sexe masculin qui font des paris en ligne sur une base hebdomadaire a récemment quadruplé. Certains des étudiants qui résident au campus sont tellement accros au jeu en ligne qu'ils passent le plus clair de leur temps dans leur chambre, les yeux rivés à l'écran de leur ordinateur, jouant et pariant jusqu'à ce qu'ils en tombent de sommeil.

Les scientifiques ont démontré que le jeu en ligne crée une dépendance aussi forte que l'alcool, la cocaïne et les drogues dures. Dans une étude menée en 2006 par le docteur Nancy Petry, spécialiste du jeu en ligne au Health Center de l'Université du Connecticut, nous apprenons que plus de 65 pour cent des cyberjoueurs souffrent d'une dépendance pathologique. L'étude démontre également que les cyberjoueurs sont beaucoup plus susceptibles de souffrir d'une dépendance au jeu que les joueurs qui fréquentent une vraie maison de jeu, l'une des raisons étant que ces derniers doivent se déplacer pour se rendre au casino alors que le site Internet est accessible à partir du domicile du participant, et ce, 24 heures sur 24. « De par leur disponibilité, les jeux de hasard sur Internet attirent les individus qui veulent exercer cette pratique dans un contexte anonyme et solitaire, écrit Petry. L'accessibilité et l'achalandage de ces sites de jeu vont sans doute augmenter proportionnellement à la croissance d'Internet[4]. »

Le cyberpoker est en train de devenir l'opium du milieu étudiant. Maintenant que les campus pullulent de connexions à haut débit, les accros du jeu peuvent placer des paris à partir des résidences étudiantes, de la bibliothèque, et même dans les salles de classe. Dans pareil contexte, les cas de jeu compulsif comme celui de Greg Hogan se multiplient. « Ça m'a grillé la cervelle, avoue un étudiant de la Floride qui a perdu 250 000 $ en jouant au poker sur Internet. Dès que je sortais du lit, je m'assoyais à mon ordi et j'y restais collé pendant 20 heures. Une nuit, mon père m'a téléphoné pendant que je dormais. J'ai décroché et j'ai répondu machinalement : "Je relance." »

Dans un reportage paru dans le numéro de juin 2006 du *New York Times Magazine*, le journaliste Mattathias Schwartz soutient que les établissements d'enseignement supérieur sont les grands responsables de cette pandémie nationale : « Les gestionnaires de ces établissements n'auraient jamais permis à une compagnie de bière d'installer des machines distributrices sur le site du campus, mais ils ont fait en sorte que chaque étudiant puisse avoir accès à Internet haute vitesse. Par conséquent, n'importe quel étudiant qui a une carte de crédit peut désormais jouer au poker 24 heures par jour sur Internet. »

La situation n'est pas très différente de ce que la Chine a connu au xviiie siècle lorsque des puissances européennes ont décidé d'y exporter des quantités massives d'opium. Cette déplorable initiative commerciale a eu des conséquences désastreuses : toxicomanie généralisée, prolifération des fumeries d'opium, déstabilisation et démoralisation de la population, etc. À la fin du xixe siècle, plus de la moitié des Chinois étaient opiomanes et tout le pays était en déroute.

Le jeu en ligne pourrait-il provoquer aujourd'hui pareille débandade ? Multipliant les victimes tel Greg Hogan, pourrait-il faire perdre à un peuple entier le contrôle de sa destinée ?

Une chose est certaine, c'est que les sites de jeu en ligne font tout ce qu'il faut pour séduire leurs participants. Le processus lui-même est d'une simplicité ahurissante : il suffit d'ouvrir son ordinateur et de taper l'adresse URL pour se retrouver en plein cœur d'un Las Vegas virtuel. Les connexions à large bande dont nous disposons aujourd'hui peuvent transformer, en quelques clics de souris, n'importe quelle chambre ou appartement d'étudiant en un tripot intime et personnalisé. C'est comme d'avoir un casino chez soi, disponible à toute heure du jour et de la nuit.

Dans un essai intitulé *Se distraire à en mourir*, le polémiste Neil Postman dénonce la banalisation de la culture américaine. « Las Vegas est devenu la métaphore de notre caractère et de nos aspirations nationales, écrit-il. Son symbole est une affiche de 10 mètres de hauteur sur laquelle on voit une danseuse de music-hall et une machine à sous.» Aujourd'hui, à l'ère de Web 2.0, l'image de Postman est tombée en désuétude : sa machine à sous est maintenant virtuelle, numérique, omniprésente et accessible en tout temps. Nous n'avons plus besoin de nous rendre à Las Vegas puisque c'est Vegas qui vient à nous – une situation que Mattathias Schwartz déplore dans son article du *New York Times Magazine* :

> ESPN [la chaîne des sports de la télé américaine] a inculqué à nos étudiants le mythe de Chris Moneymaker, ce comptable grassouillet de 27 ans qui, de ses modestes débuts sur Pokerstars.com, a remporté 2,5 millions aux séries mondiales de poker à Las Vegas. Dans les résidences étudiantes et les labos d'informatique, sur les murs augustes des amphithéâtres universitaires résonne le bruissement électronique des cartes distribuées à chaque donne. Ce bruit, c'est le son des 2 milliards de dollars qui glissent chaque année dans des comptes outre-mer sans qu'on puisse les taxer.

Greg Hogan a traîné son Las Vegas portatif avec lui pendant une année entière. À Lehigh, il jouait parfois au Texas Hold'em sans arrêt pendant quatre jours, enfermé dans sa chambre. Il passait des nuits entières sur les ordis de la bibliothèque, jouant entre 60 et 100 mains par heure. Durant le temps des fêtes, il a transporté son casino virtuel dans le bureau de son père, le pasteur, pour célébrer Noël en jouant nuit et jour contre d'autres accros du cyberpoker avec la musique de Green Day, d'Incubus et de 311 en arrière-plan.

Les jeux de hasard – tout comme le vol de propriété intellectuelle, d'ailleurs – existaient bien avant l'arrivée d'Internet ; cela dit, la prolifération des casinos et sites de pari en ligne ont exacerbé notre potentiel de dépendance au jeu en nous permettant de jouer n'importe où, n'importe quand et de façon anonyme. Le caractère solitaire et anonyme du jeu en ligne encourage le comportement puisque le participant est affranchi de la stigmatisation sociale habituellement liée à ce genre d'activité.

Aux États-Unis, les jeux en ligne sont prohibés en vertu du *Federal Wire Communication Act*, une loi qui interdit l'acheminement de paris par un système de communication par câble – téléphone, télégramme, etc. Bien que le *Wire Act* date de 1961, ce n'est qu'à l'été 2006 que le gouvernement américain intentera les premières poursuites contre les sites de jeu et de pari en ligne, une intervention tardive qui a permis à cette industrie de prospérer librement – le jeu en ligne a généré des revenus de 6 milliards en 2005[5].

BetonSports, 888.com, SportingBet, PartyGaming et les autres entreprises du genre ont échappé jusqu'ici aux autorités américaines en installant leurs serveurs dans des paradis fiscaux extraterritoriaux tels que le Costa Rica, Gibraltar, Antigua et les îles anglo-normandes. Fort heureusement, ainsi que nous le verrons au chapitre 8, les autorités ont commencé à sévir.

Les partisans du jeu en ligne pourraient défendre leur cause en disant qu'un adulte est responsable de ses propres actions et devrait donc être autorisé à jouer et à parier autant qu'il le désire, mais le fait est que les jeux d'argent sur Internet ne font pas de tort qu'à ceux qui y participent : les conséquences sociales qu'ils entraînent sont tout aussi néfastes que les conséquences pour l'individu. Le démon du cyberjeu a dévasté des familles entières. Les joueurs compulsifs se tournent parfois vers la criminalité pour obtenir plus d'argent, ce qui affecte l'ensemble de la société. Les jeux de hasard et de pari en ligne sont dangereux et illégaux. En laissant libre cours à ce fléau, nos gouvernements minent notre foi en la justice.

Sans parler du fait que ces jeux n'enseignent pas à nos enfants la vraie valeur de l'argent, leur inculquant plutôt une certaine nonchalance face à celui-ci – ce n'est que de l'argent, après tout – de même qu'un penchant marqué pour le pécule facilement gagné. C'est cette promesse de fortune instantanée qui a séduit Greg Hogan : apprenant qu'un autre étudiant avait raflé 160 000 $ au poker en ligne, Hogan, dans sa naïveté, était convaincu qu'il remporterait lui aussi pareil succès s'il se mettait à jouer. L'histoire démontre qu'il lui aurait été plus profitable d'investir son temps dans ses études pour viser ensuite une carrière lucrative.

Les experts de Silicon Valley ne voient malheureusement pas les choses ainsi. Le travail, la discipline, le dévouement et la frugalité sont pour eux des notions surannées. L'économie de Web 2.0 a faussé les valeurs de la jeune génération avec ses millionnaires instantanés et ses voltiges financières hyperboliques. On peut même dire qu'elle a infecté l'Amérique entière en lui communiquant des attitudes et des convictions irrationnelles. Les jeux d'argent ne font que perpétuer l'illusion de la fortune instantanée, malheureusement ils sont devenus aujourd'hui un véritable mode de vie. Et c'est l'ensemble de la société qui est touchée.

On ne se débarrassera peut-être pas plus du jeu en ligne que de la pornographie, du partage illégal de fichiers et des autres obsessions liées à Internet, mais en tant que société nous avons la responsabilité de contrôler ces activités, de même que les comportements qui en découlent, afin d'éviter qu'elles ne deviennent l'opium du xxie siècle. Comme le disait si bien James Madison, un des pères fondateurs de l'Amérique, nous ne sommes pas des anges; nous n'agissons pas toujours avec droiture et honnêteté dans notre intérêt et dans celui de notre prochain. Or, c'est justement pour nous aider à contrôler nos impulsions destructrices et nos comportements indésirables que nous avons créé l'appareil législatif.

Si nous ne parlons pas davantage de cette problématique, c'est qu'il s'agit d'abord et avant tout d'une question d'ordre moral; or, l'univers de Web 2.0 n'aime pas les débats éthiques. Nous devons néanmoins soulever ces questions, car elles concernent l'avenir de nos sociétés et des générations futures. Une chose est certaine, c'est que nous ne voulons pas engendrer une génération de Greg Hogan!

L'alcool ne se vend que dans des établissements autorisés où le personnel doit s'assurer qu'il ne vend pas à des mineurs; ces établissements sont même tenus responsables si un client prend le volant de son véhicule alors qu'il est en état d'ébriété. De même, les paris et jeux de hasard ne devraient être accessibles qu'au sein d'un établissement autorisé – un casino, par exemple. Ces jeux d'argent doivent à tout le moins être bannis de nos écoles et universités.

UN MONDE DE SEXE

L'omniprésence de la pornographie sur Internet est la manifestation la plus flagrante de la dégradation des valeurs morales à l'ère de Web 2.0. Selon l'*Internet Filter Review*, la quantité de pornographie présente sur Internet a augmenté de 1800 pour cent en six ans, passant de 14 millions de pages en 1998 à 260 millions de pages en 2003[6]. Les sites pornographiques étaient dix-sept fois plus nombreux en 2004 (1,6 million de sites) qu'en 2000 (88 000 sites).

La dépendance à la pornographie en ligne a augmenté en conséquence. Le National Council on Sex Addiction and Compulsivity estime que de 3 à 8 pour cent de la population américaine souffre de compulsion sexuelle sous une forme ou une autre. Le San Jose Marital and Sexuality Center estime pour sa part que de 6 à 13 pour cent des utilisateurs de cyberpornographie sont compulsifs dans la mesure où ils passent au moins onze heures par semaine sur des sites pornos. Cela explique sans doute la prolifération en Amérique des programmes d'aide aux personnes souffrant d'une dépendance à la pornographie.

Dans le porno comme dans tous les autres domaines, Internet favorise le contenu généré par l'utilisateur. Certains sites de pornographie amateur, notamment Voyeurweb et Pornotube, un pastiche de YouTube qui publie chaque semaine des milliers de nouveaux clips pornos amateurs, figurent parmi les sites les plus achalandés du Net. Selon le service de classement Alexa.com, qui classifie les sites en fonction du volume de trafic, Pornotube a accédé en une seule année – le site fut fondé en février 2006 – à la liste des 200 sites les plus populaires d'Internet, attirant quotidiennement plus de visiteurs que des sites pornos professionnels comme celui du magazine *Playboy*.

À la rigueur, tout cela pourrait être amusant si ce n'était de cette statistique du National Center for Missing and Exploited Children (NCMEC), lequel a observé une augmentation de 1500 pour cent dans le nombre d'images de pornographie juvénile sur Internet.

Seul un fanatique des libertés civiles serait incapable de voir que toute cette pornographie est en train d'éroder la fibre morale de nos sociétés. Qui plus est, elle remet en cause le statut de médium ouvert d'Internet. Bon, la pornographie ne date pas d'hier, nous sommes d'accord là-dessus. Pratiquement toutes les grandes villes de la planète ont leur quartier chaud, leurs cinémas pornos et leurs *peep-shows*; les DVD pornographiques continuent de se vendre comme des petits pains chauds. Cela dit, jamais la pornographie n'a été si diverse, si perverse, si accessible et si omniprésente qu'elle ne l'est depuis l'arrivée d'Internet, et particulièrement à l'ère de Web 2.0.

L'omniprésence de la cyberpornographie est telle que même les enfants ne peuvent y échapper. Dans un sondage téléphonique effectué en janvier 2007 par le Crimes against Children Research Center de l'Université du New Hampshire auprès de 1500 internautes âgés de 10 à 17 ans, 42 pour cent des jeunes gens interrogés disaient avoir été exposés à de la pornographie en ligne; de ces 42 pour cent, 66 pour cent qualifiaient leur exposition de « non désirée ». Cela signifie que les deux tiers des enfants qui voient de la pornographie en ligne y sont exposés contre leur gré[7]. Sans vouloir faire de mot d'esprit, on pourrait dire qu'il s'agit d'un bordel total.

La plupart des parents d'ados ou de préados s'entendent sur le fait que la pornographie en ligne est un fléau moral. Quel parent voudrait voir son enfant surfer sur le site amateur voyeur.com, où il risque de surprendre les ébats d'un voisin, d'un professeur ou d'une institutrice? Ce n'est pas sur ces sites qu'il apprendra ce qu'est l'amour ou qu'il découvrira le rôle du sexe au sein d'une relation amoureuse. Est-il juste que nos enfants soient exposés à ce contenu tordu par l'entremise de courriels non sollicités et de fenêtres publicitaires?

Les sites de réseautage personnel ne font rien pour prévenir la dépendance à la pornographie chez les mineurs. Sur MySpace, des adolescentes de 14 ans dotées d'avatars suggestifs tel « nastygirl » publient des photos sur lesquelles on les voit prendre des poses provocatrices en petite tenue, dans des bikinis minuscules ou dans des vêtements de cuir moulants. Voilà bien la « culture » que le culte de l'amateur perpétue et préconise. En février 2006, le magazine *Playboy* poussait l'audace à son comble en annonçant la tenue d'auditions pour un segment spécial intitulé « Girls of MySpace ». Les « filles de MySpace » qui seraient sélectionnées poseraient nues, bien entendu.

Mais il y a pis encore. Les sollicitations de faveurs sexuelles sont désormais monnaie courante chez les utilisateurs adolescents et préadolescents de sites comme MySpace. Les forums de discussion de MySpace sont devenus des confessionnaux dans lesquels les ados de 13 ou 14 ans se vantent de leurs exploits sexuels. Sur MySpace, les utilisateurs de plus de 18 ans ne peuvent accéder au profil d'un mineur que s'ils connaissent son nom et son adresse de courriel (à moins que le mineur en question n'ait menti au sujet de son âge, ce qui est très fréquent) ; en revanche, les utilisateurs adolescents peuvent consulter n'importe quel profil, ce qui les incite à imiter le langage parfois cru et offensant des membres adultes.

Les sites de réseautage personnel rejoignent une clientèle de plus en plus jeune. En décembre 2006, le *Wall Street Journal* révélait que 22 pour cent des visiteurs de MySpace étaient âgés de moins de 18 ans. On assiste même à une prolifération de sites s'adressant aux 8 à 12 ans – clubpenguin. com, imbee.com, tweenland.com, etc. Certains de ces sites accueillent jusqu'à deux millions de visiteurs par mois. Les sites de réseautage sont dotés en théorie de systèmes de contrôle parental, mais ceux-ci sont aisément contournés. Quantité de jeunes internautes utilisent des mots codés ou acronymes qui leur permettent d'outrepasser ces systèmes de sécurité, ou alors ils emploient tout simplement les mots de passe et codes d'accès de leurs parents.

L'omniprésence du sexe sur Internet et le discours hypersexualisé qui prévaut sur les sites de réseautage personnel accélèrent dangereusement le développement social et sexuel de nos enfants. Vous voulez une preuve ? *Nerve*, un magazine virtuel à caractère sexuel, a récemment publié une entrevue avec une adolescente de 13 ans[8]. Voici ce que la jeune adolescente, surnommée « Z » pour les besoins de la cause, avait à dire au sujet de la pornographie sur Internet :

Nerve : As-tu déjà vu de la pornographie sur Internet ?

Z : C'est sûr.

Nerve : Quel âge avais-tu quand tu en as vu pour la première fois ?

Z :   Je devais avoir 10 ans, mais c'était à cause des fenêtres-pubs, des trucs du genre.

Nerve : Connais-tu des amateurs de cyberpornographie ?

Z :   Ouais. Tous mes amis aiment ça.

Nerve : Et toi ?

Z :   Ouais, j'ai pas honte de le dire. Mais on regarde pas ça en se disant : « Merde, c'est sexy. » C'est plutôt du genre : « Ouais, c'est correct. » J'aime bien le porno gothique.

Un ado de 13 ans devrait être dehors en train de jouer au soccer ou de faire de la bicyclette, et non enfermé dans sa chambre à regarder du porno dur. Nos enfants sont si habitués à voir de la pornographie qu'ils en sont désensibilisés. Voilà même qu'ils ont des préférences pour des genres en particulier – quelqu'un pourrait-il me dire ce qu'est du porno gothique ?

Le fait que nos enfants soient exposés à de la pornographie ne constitue même pas le côté le plus sombre du sexe en ligne. Le plus inquiétant, c'est que les sites de réseautage personnel sont devenus la proie des prédateurs sexuels. Les enfants qui fréquentent ces sites inscrivent dans leur profil des renseignements détaillés les concernant – leur lieu de résidence, le nom de leur école, les endroits qu'ils fréquentent et, bien sûr, des photos d'eux-mêmes – ce qui facilite considérablement la tâche des pédophiles : non seulement ceux-ci ont-ils accès à une quantité phénoménale d'images sexuelles de mineurs sur Internet, ils peuvent désormais traquer leurs victimes potentielles dans le monde réel, et ce, avec une aisance terrifiante.

Les dangers inhérents aux sites de réseautage tel MySpace ne sont que trop réels. En janvier 2007, les familles de quatre adolescentes de 14 et 15 ans qui avaient été abusées sexuellement par des hommes qu'elles avaient rencontrés sur MySpace intentaient une poursuite contre le site[9]. Les parents alléguaient que MySpace était coupable de négligence parce qu'il avait omis d'instaurer des mesures de sécurité visant à protéger leurs enfants contre pareilles agressions. En vérité, nous devons tous faire le nécessaire pour assurer la sécurité de nos enfants et pour leur épargner ce genre de traumatisme.

ACCRO AU NET

Carla Toebe était accro aux services de rencontres virtuels. Chaque matin dès son réveil, cette femme de 47 ans et mère de quatre enfants allumait son ordinateur portatif pour vérifier ses messages et clavarder sur les sites de rencontres en ligne. Elle pouvait passer jusqu'à 15 heures par jour ainsi au lit, surfant compulsivement sur ces sites au point d'en négliger ses tâches quotidiennes. Dans sa résidence de Richland, Washington, la vaisselle s'empilait parfois dans l'évier et le linge sale traînait un peu partout en petits tas négligés. « Je suis travailleuse autonome et j'ai besoin d'Internet pour mon travail, mais je suis incapable de travailler, confiait-elle à un journaliste du *Washington Post*. Je ne prends plus soin de ma maison et ça fait des mois que mes enfants se plaignent parce que je ne m'occupe plus d'eux[10]. »

Carla était devenue esclave du cyberespace. Elle en était venue à préférer son existence en ligne à sa vraie vie, à la réalité de tous les jours.

Il ne s'agit pas là d'un phénomène nouveau, néanmoins Web 2.0 a exacerbé notre dépendance à Internet. Maintenant que nous avons accès à tous ces blogues et forums, à tous ces sites communautaires voués à l'autodiffusion de musique et de vidéos, nous passons de plus en plus de temps en ligne. La faculté de médecine de l'Université Stanford a été la première à étudier sérieusement la dépendance à Internet. Une récente étude menée auprès de 2513 sujets adultes révèle que nous passons en moyenne 3,5 heures par jour en ligne et que plus de un sujet sur huit manifeste des symptômes de dépendance au Net.

La dépendance à Internet est une maladie sociale insidieuse qui peut prendre plusieurs formes : certains souffrent du même mal que Carla Toebe et sont accros aux sites de rencontres ; d'autres sont accros au téléchargement illégal, à la pornographie ou aux jeux d'argent. Ces pathologies diverses touchent toutes les couches de la société, de la fillette de 12 ans qui passe ses journées à télécharger de la musique aux étudiants universitaires accros du poker en ligne, en passant par les adultes et ados obsédés de pornographie. Plus que jamais, en cette ère où nous sommes branchés sur le Net en permanence, la dépendance à Internet nous guette et menace de corrompre nos valeurs et notre culture.

UNE EXISTENCE VIRTUELLE

Les sites comme Second Life (seconde vie) proposent à l'utilisateur de se joindre à une communauté virtuelle en trois dimensions dans laquelle il peut participer aux mêmes activités qu'on retrouve dans le monde réel, mais par l'entremise d'un personnage qu'il a créé de toutes pièces. Au sein de cet univers virtuel, l'utilisateur peut fonder une entreprise, se marier, acheter une maison et la décorer, etc.

Les mondes virtuels sont de plus en plus populaires sur Internet – le nombre d'utilisateurs sur Second Life, par exemple, est passé de 100 000 en 2005 à 1,5 million à la fin de 2006. Les sites de ce genre nous invitent à nous délester des contraintes et des frustrations du monde réel, mais ils ne sont pas sans danger : de un, ils nous amènent à confondre réalité objective et réalité virtuelle ; de deux, ils peuvent engendrer une très forte dépendance du fait qu'ils nous plongent dans une existence absolue de responsabilités où tout est possible – on peut voler tel un oiseau, changer de sexe et même commettre des meurtres sans avoir à subir les conséquences de nos actes. Des millions de gens ont succombé à l'irrésistible attrait de ces univers oniriques.

Second Life fait des affaires d'or par les temps qui courent. Dans ce monde virtuel, rien n'est gratuit ; or, l'utilisateur est invité à acheter de l'argent virtuel – l'unité monétaire de Second Life est le dollar Linden – avec son argent à lui, qui est bien réel. Sur Second Life, il y a de vrais promoteurs immobiliers qui vendent des terrains virtuels ; de vrais publicitaires qui vendent des panneaux-réclames virtuels ; de vraies boutiques de vêtements qui vendent des fringues virtuelles ; de vraies chaînes hôtelières qui louent des chambres virtuelles ; et de vrais thérapeutes qui vendent des séances de counseling virtuelles à de vrais couples. Dans le seul mois de janvier 2005, les utilisateurs de Second life ont dépensé 5 millions de dollars pour acheter des biens virtuels[11]. Mais si Second Life promet de devenir une source de revenus lucrative pour les entreprises, on entrevoit déjà des conséquences dévastatrices pour les utilisateurs compulsifs qui donnent préséance à leur vie virtuelle. Certains peuvent aller jusqu'à vider leur compte en banque pour acheter des produits et des services virtuels sur Second Life ou sur d'autres sites du genre.

Second Life n'est l'objet d'aucune supervision ou réglementation puisqu'il réside dans les confins plus vastes de ce médium libre qu'est Internet. Or, cette liberté absolue a bien évidemment donné lieu à une prolifération de comportements déviants sur les plans social et éthique. Bien que certaines règles (rarement appliquées) proscrivent les comportements inappropriés dans les lieux publics virtuels, l'utilisateur peut donner libre cours à ses instincts les plus bas dans l'intimité des espaces privés virtuels. Ainsi, pour 220 dollars Linden, le citoyen de Second Life peut réaliser un fantasme de viol virtuel où il sera, au choix, complice, victime ou agresseur[12].

« Mais ce n'est qu'un jeu », de protester certains utilisateurs. Allons donc ! Connaissez-vous d'autres jeux où les utilisateurs passent jusqu'à douze heures par jour à s'occuper de leur commerce virtuel, de leur famille virtuelle et de leur maison virtuelle au point de complètement décrocher de la réalité ? Les citoyens de Second Life ne sont plus des membres actifs et productifs de la société.

Le docteur Elias Aboujaoude, principal architecte de l'étude réalisée en octobre 2006 par l'Université de Stanford, soutient que la dépendance à Internet est un problème relativement nouveau qui ne fera que s'aggraver avec le temps. De quoi le monde aura-t-il l'air en 2020 si nous ne faisons rien pour maîtriser les comportements compulsifs de notre culture en ligne ?

Selon Susan Greenfield, baronne, membre de la Chambre des lords d'Angleterre et professeur en sciences neurologiques à l'Université d'Oxford, les technologies associées à Web 2.0 s'avéreront extrêmement néfastes pour les générations futures. Les recherches de Mme Greenfield démontrent que l'omniprésence de la technologie numérique est en train d'apporter des transformations chimiques et structurelles à notre cerveau, et que les jeux vidéo violents et les interactions en ligne trop intenses peuvent engendrer des désordres mentaux – autisme, déficit d'attention, hyperactivité, etc. Le professeur Greenfield en déduit que les enfants de la génération Web 2.0 souffriront de problèmes d'apprentissage, qu'ils seront plus violents, moins empathiques et moins aptes à négocier ou à faire des compromis.

Terrifiante vision du futur, vous ne trouvez pas ?

Adolescents hypersexualisés… Voleurs d'identité… Joueurs compulsifs et accros de tout acabit : Web 2.0 est vraiment en train de bousiller notre fibre morale, de déchirer notre tissu social en nous permettant d'exprimer nos instincts les plus déviants et de succomber à nos vices les plus destructeurs. Internet est en train d'éroder et de corrompre les valeurs de l'ensemble du monde civilisé.

CHAPITRE 7

1984 (version 2.0)

DE NOTORIÉTÉ PUBLIQUE

Tout a commencé par un dilemme d'ordre moral. *Faut-il planifier la relation sexuelle avant de rencontrer un cyberamant?* demanda-t-elle au moteur de recherche. Nous étions le 17 avril 2006.

Le 20 avril, elle avouait au moteur de recherche qu'elle était *mariée, mais amoureuse d'un autre homme.*

Une semaine plus tard, elle avait décidé de rencontrer cet amoureux déniché sur Internet. *Qu'est-ce qui est sexy pour un homme?* demandait-elle dix jours plus tard en ajoutant qu'elle était occupée à planifier le voyage – achat du billet d'avion, réservations à l'hôtel et au restaurant – qui, de chez elle à Houston, allait la mener vers lui à San Antonio.

Le 4 mai, elle passait la nuit avec lui à l'hôtel Omni de San Antonio. *J'ai rencontré mon cyberamant, mais le sexe a été décevant*, écrivait-elle le 8 mai. *En personne, il n'est pas du tout comme je me l'imaginais.*

Dieu punit-il les épouses adultères? s'inquiétait-elle le 13 mai.

Comment puis-je savoir tous ces détails intimes au sujet d'une pure étrangère? C'est simple, j'ai lu toutes les entrées qu'elle a faites sur le moteur de recherche d'AOL (America Online) du 1er mars au 31 mai 2006.

L'utilisatrice en question a fait confiance à cet outil technologique, ouvrant son cœur à tout venant sur Internet. À travers ses requêtes transmises sur le moteur de recherche d'AOL, c'était son âme qu'elle révélait. Cette femme est aussi réelle que lonelygirl15, l'adolescente fictive de

YouTube, était chimérique. Les pensées et émotions qu'elle déversait sur AOL révélaient toute l'ampleur de son dilemme, de son désespoir. Entre le 1er mars et le 31 mai, elle a posé au moteur de recherche 2393 questions qu'elle n'aurait jamais osé poser à des personnes de son entourage, même pas à ses meilleures amies. Elle s'était interrogée sur son corps et sur la nature de la sexualité masculine. Elle avait exprimé sa déception amoureuse et sa crainte de la justice divine.

L'auteur de ces questions aurait pu être une héroïne romantique, *Madame Bovary* de l'ère numérique, si ce n'était du fait que ses entrées sur le moteur de recherche d'AOL n'étaient pas destinées à la publication. Ses confessions n'étaient pas l'œuvre d'un Flaubert ou d'un Lamartine : c'était là des aveux intimes qui n'étaient pas censés être lus par des yeux indiscrets. Mais notre héroïne avait une confiance absolue en son moteur de recherche : il était son seul confident, le seul ami à qui elle pouvait se fier dans ses instants d'incertitude.

Cette confiance n'était malheureusement pas justifiée. Sa franchise sur le moteur de recherche d'AOL s'avérerait une erreur encore plus coûteuse que sa décision de passer la nuit avec son cyberamant. L'utilisatrice no 711391 allait bientôt devenir une véritable célébrité sur Internet. Bien qu'elles aient été rédigées sous le sceau de la confidence, ses 2393 entrées seraient diffusées partout sur le Net ; ses confessions seraient lues et « interprétées » par des milliers de blogueurs voyeuristes.

L'auteur de ces confessions n'aurait pu imaginer qu'elle deviendrait la première victime d'une « culture de la surveillance » dans laquelle nos peurs et nos émotions les plus intimes peuvent être communiquées au monde entier *à notre insu et sans notre consentement*.

La malencontreuse mésaventure de l'utilisatrice no 711391 est désormais de notoriété publique. On connaît maintenant tout d'elle : les dessous féminins qu'elle favorise (*la lingerie de couleur pourpre*) ; ses défauts physiques (*mes varices peuvent-elles enfler ?*) ; la teinte de sa toison pubienne (*blonde*) ; et ses regrets face à sa relation adultère (*ne couchez jamais avec votre meilleur ami*). Il est même probable que certains internautes pourraient nous dire son nom, son adresse, ainsi que le nom et l'âge de ses enfants.

La revue en ligne *Slate* s'est insurgée contre la diffusion de ces entrées, soutenant que cela représentait une entorse flagrante aux droits individuels les plus fondamentaux. Le magazine estimait même qu'il s'agissait là d'un scénario digne de George Orwell.

Slate a raison. Bienvenue dans l'univers de *1984*, version 2.0.

C'est le 6 août 2006 que notre cauchemar orwellien s'est concrétisé. Ce dimanche-là, une fuite dans le moteur de recherche d'AOL a rendu publiques les requêtes et entrées de 658 000 utilisateurs, incluant celles du n° 711391. Les médias ont aussitôt baptisé cette fuite de données « Data Valdez » en référence au déversement catastrophique du navire pétrolier *Exxon Valdez* en 1989. Vingt-trois millions d'entrées qui représentaient les pensées les plus intimes des utilisateurs d'AOL – des réflexions et des commentaires sur des sujets aussi divers que l'avortement, le meurtre, la bestialité et la pédophilie – ont été déversées librement sur le Net, à l'insu et sans le consentement de ces utilisateurs.

Cette montagne de données avait été jusque-là le joujou intellectuel des chercheurs d'AOL. C'est chose courante dans ce type d'entreprise : les portails Internet tels Google et Yahoo ! traitent les milliards de requêtes que reçoit leur moteur de recherche comme étant leur propriété et, de ce fait, se considèrent comme libres de stocker, d'analyser et d'exploiter cette information à leur guise.

D'un point de vue légal, la question de la propriété d'une telle information n'a pourtant pas encore été élucidée. Le directeur général de l'Electronic Privacy Information Center, Marc Rotenberg, avait déjà décrit cette problématique qui relève du droit à la vie privée comme « une bombe à retardement qui risque d'exploser à tout moment ».

Le 6 août 2006, lorsque les chercheurs d'AOL ont accidentellement publié leur base de données sur Internet, la bombe a fini par exploser. Les pirates informatiques ont promptement téléchargé ces renseignements pour les distribuer « démocratiquement » sur le Net. Ce qui relevait tantôt du domaine privé appartenait soudain au domaine public : les préoccupations intimes de millions d'individus étaient étalées au vu et au su de leur famille, de leurs amis et de leurs confrères et consœurs de travail. Mais le plus inquiétant, c'était que ces informations étaient désormais à la disposition des maîtres chanteurs et autres cybercriminels.

C'était comme si l'Église catholique décidait subitement de publier les confessions de ses paroissiens. Ou si le KGB diffusait ses dossiers de surveillance à la télé.

L'information contenue dans les fichiers d'AOL peut être qualifiée de *Carnets du sous-sol* du XXIe siècle : elle révèle tout ce qu'il y a de plus intime, de plus vulnérable, mais aussi de plus noir, de plus honteux en nous. On y retrouve toutes les requêtes imaginables, du *comment faire pour tuer ma femme* aux *façons de se venger* en passant par des considérations plus féminines et pragmatiques comme *perdre sa virginité, peut-on tomber enceinte durant les règles ? et est-ce qu'on tombe nécessairement enceinte quand on fait l'amour sans condom ?*

« Grand Dieu ! C'est toute ma vie privée qui est étalée là ! » de s'exclamer, horrifiée, une veuve de 62 ans dans un article du *New York Times*. « J'ignorais qu'on m'espionnait quand j'allais sur Internet. »

L'affaire AOL n'était malheureusement pas la première atteinte à la vie privée de l'ère numérique. En février 2005, des pirates informatiques s'étaient introduits dans le réseau de ChoicePoint, un courtier en données basé à Atlanta qui, selon MSNBC, détient des renseignements personnels sur presque tous les citoyens américains. Les pirates avaient accédé aux bases de données de la société par l'entremise de faux comptes, puis avaient diffusé sur Internet plus de 163 000 dossiers financiers, ce qui avait donné lieu à quelque 800 vols d'identité. « Nous croyons que plusieurs individus ont commis une fraude en se faisant passer pour des clients légitimes, annonçait ChoicePoint aux victimes potentielles de ce crime informatique. Ils ont accédé sous un faux prétexte à des informations concernant d'autres individus. Nous vous conseillons de vérifier vos rapports de solvabilité régulièrement durant la prochaine année. »

Et puis il y a eu ces deux adolescents qui, en mai 2006, volèrent un ordinateur portatif au département des Anciens combattants et diffusèrent sur le Net l'historique financier de 25 millions de vétérans. En septembre 2006, des pirates accédaient aux bases de données de Second Life et subtilisaient les dossiers de ses 600 000 citoyens virtuels, obtenant sur eux des renseignements bien réels incluant leurs nom, adresse, numéro de téléphone et numéro de carte de crédit.

Et parlant de carte de crédit, en juillet 2005 des cybercriminels ont volé les bases de données de Visa et de MasterCard, faisant ainsi main basse sur les informations relatives à 40 millions de comptes.

Maintenant que la plupart des hôpitaux et cliniques entreposent les dossiers de leurs patients en ligne sur des sites tel WebMD.com, nos antécédents médicaux risquent de tomber eux aussi entre de mauvaises mains. Aimeriez-vous que tout le monde soit au courant des médicaments que vous prenez, de vos maladies et infections, des traitements que vous suivez ? C'est ce qui aurait pu arriver à 260 000 patients de l'État de l'Indiana : tout récemment, un entrepreneur étourdi travaillant dans le milieu de la santé a téléchargé les dossiers médicaux de tout ce beau monde, les a gravés sur CD, puis a mis les CD dans son sac d'ordinateur. Le problème est qu'il a ensuite retourné ce sac qu'il venait d'acheter au magasin en laissant les CD à l'intérieur[1].

Le vol de dossiers médicaux est plus qu'une intrusion dans la vie privée, plus qu'une simple source d'embarras pour les patients concernés. Selon le *San Diego Business Journal*, les fraudes d'identité reliées aux soins de santé sont à la hausse avec plus de 200 000 cas par année[2]. Armé d'une carte d'assurance maladie volée ou d'un numéro d'assurance sociale frauduleux, un voleur d'identité peut facilement facturer des milliers de dollars en soins de santé, soumettre des demandes d'indemnité frauduleuses à des compagnies d'assurances ou falsifier les dossiers d'autres patients.

L'histoire de Paul Fairchild en dit long sur les conséquences que peut avoir le vol d'identité électronique. Durant l'été de 2003, ce concepteur de sites Internet qui habite à Edmond, en banlieue d'Oklahoma City, avec son épouse et leurs deux enfants, s'est vu dans l'obligation de louer un smoking. Il faut dire qu'il avait une bonne raison de le faire : sa sœur convolait en justes noces. Ayant acheté les billets d'avion pour Portland, Oregon, ville où le mariage serait célébré, Paul se rendit à la boutique de location de smokings en quête d'un costume digne de cette auguste occasion.

« Acceptez-vous la carte American Express ? demanda-t-il.

– Bien sûr », répondit le commerçant.

Paul Fairchild remit sa carte à un vendeur qui partit en direction du comptoir pour finaliser la location. Celui-ci revint quelques minutes plus tard et dit à son client d'un ton embarrassé : « Pardon, monsieur, mais la transaction a été refusée. »

Paul fut étonné d'apprendre cela, et pour cause : il utilisait rarement sa carte American Express. Surtout que de récents soucis d'argent l'incitaient à la frugalité. Les Fairchild traversaient une période difficile, financièrement parlant. Leur budget était si serré que la paire de chaussures à 12 $ qu'il avait achetée à son fils pour le mariage lui avait donné l'impression d'une dépense extravagante.

Inquiet, Paul contacta le service à la clientèle d'American Express.

« Votre compte est en souffrance, dit la téléphoniste.

– Ça ne se peut pas, d'insister Paul.

– Êtes-vous l'unique propriétaire ?

– Comment ?

– Vous êtes bien l'unique propriétaire du service d'escortes Ebony Passion de Brooklyn, New York ?

– Mais pas du tout ! s'exclama Paul. J'ai bien peur qu'il n'y ait eu une erreur. »

Il y avait effectivement eu erreur. Et de taille.

C'est qu'il y avait sur la côte est américaine un faux Paul Fairchild qui avait, disons, « emprunté » l'identité de l'authentique pour faire diverses transactions. Ce faux Fairchild était effectivement propriétaire de l'Ebony Passion Escort Service, une agence de prostitution basée à Brooklyn. Contrairement au vrai Paul Fairchild, cet imposteur n'avait pas l'habitude de louer des smokings : il était plutôt du genre à les acheter. Sous le couvert de sa fausse identité, il avait amassé plus de 500 000 $ de dettes sur diverses cartes de crédit, ainsi qu'en frais de téléphone cellulaire et de location de voitures. Il avait également un compte courant dans une bijouterie new-yorkaise. Le faux Fairchild n'utilisait pas sa carte de crédit pour acheter de modestes chaussures de 12 $ à son fils, mais pour se payer des chaussures Manolo Blahnik à 750 $ la paire, des fourrures, des diamants et des boîtes de cigares à 500 $ pièce. L'imposteur outrecuidant avait même pris une hypothèque au nom de Paul Fairchild sur un immeuble de 315 000 $ situé en plein centre-ville de Brooklyn – c'était là sans doute qu'il avait installé les quartiers généraux de son service d'escortes.

Ce vol d'identité fut tout un cauchemar pour le vrai Paul Fairchild qui, pour citer le *New York Times*, vécut « deux années d'enfer ». Au cours des quatre premiers mois suivant la déclaration du vol d'identité, il a passé 40 heures par semaine à remplir des rapports de police et des déclarations sous serment – il fallait produire une attestation notariée pour tous les commerçants et entreprises qui avaient été escroqués. Annuler l'hypothèque s'avéra être un processus laborieux et particulièrement coûteux. La banque Wells Fargo, l'un des créanciers dans l'affaire, décida de poursuivre Fairchild en justice, obligeant celui-ci à payer un avocat pour assurer sa défense. Deux ans après la confirmation du vol d'identité, l'imposteur continuait de facturer des comptes téléphoniques au nom de Paul Fairchild, et c'est bien entendu à ce dernier qu'on envoyait les factures[3].

Le faux Fairchild continue d'échapper aux autorités. Cela n'a rien d'étonnant, étant donné que, des 10 millions de voleurs d'identité qui sévissent chaque année sur le territoire américain, seulement 1 sur 700 est appréhendé.

La seule bonne nouvelle dans tout ça, c'est que Paul Fairchild est redevenu le seul et unique propriétaire de son identité. Mais les Fairchild n'en sont pas au bout de leurs peines pour autant. Bien au contraire, leur avenir financier s'annonce plutôt précaire. L'imposteur a complètement bousillé la cote de crédit du vrai Paul Fairchild. N'étant plus considéré comme solvable, ce dernier a vu ses limites de crédit s'amenuiser. Une chose est certaine, c'est qu'il aura du mal à louer un smoking la prochaine fois qu'un membre de sa famille décidera de se marier.

Le vol de données est monnaie courante dans le cyberespace, mais il y a aussi une quantité phénoménale de renseignements personnels qui est vendue ou échangée chaque jour sur Internet. Dans le seul mois de juillet 2006, il y a eu 2,7 milliards de recherches distinctes lancées sur Google et 1,8 milliard sur Yahoo! Or, chacune de ces recherches est mise à la disponibilité de diverses entreprises et agences gouvernementales.

Dans l'univers de Web 2.0, le droit à la vie privée n'est rien de plus qu'une notion surannée.

Dans le monde physique, on peut préserver sa vie privée en déchirant les états de compte dont on n'a plus besoin, en détruisant les photos embarrassantes ou compromettantes et en rangeant nos dossiers confidentiels et notre courrier intime à l'abri des regards indiscrets. Mais une fois que ces renseignements ou documents se retrouvent en ligne grâce à Google ou à AOL, ils sont immortalisés à tout jamais et deviennent accessibles à tous.

Puisque aucune loi ne les oblige à purger leurs bases de données, Google, Yahoo! et AOL emmagasinent toutes sortes d'informations à notre sujet – quels mots-clés nous employons dans nos recherches, quels produits nous achetons, quels sites nous visitons, etc. Ces moteurs de recherche veulent nous connaître intimement ; ils veulent devenir nos plus proches confidents. Pourquoi ? Parce qu'ils vendent cette information aux annonceurs et aux agences de marketing qui se servent ensuite de ces renseignements pour mieux cibler leurs messages ou leurs produits.

Mais ces renseignements personnels ne profitent pas qu'aux commerçants et aux publicitaires. Dans les confins du cyberespace, n'importe qui, du pirate informatique au voleur d'identité en passant par les agences gouvernementales, peut savoir à quand remonte la dernière fois où nous sommes allés au cinéma, quels médicaments nous prenons, combien d'argent nous avons dans notre compte en banque, etc.

Google et AOL acquièrent cette information détaillée grâce aux témoins de connexion, que certains connaissent sous le nom anglais de *cookies*. Ces témoins s'installent à notre insu sur notre disque dur quand nous visitons un site ou utilisons un moteur de recherche, ce qui permet à ce site ou à ce moteur de recherche d'enregistrer nos habitudes de navigation. Ici encore, Big Brother nous guette.

L'information que les témoins recueillent est une véritable mine d'or pour les agences de pub et de marketing : ils enregistrent nos préférences ; retiennent l'information relative à nos cartes de crédit ; dressent la liste des articles que nous mettons dans nos paniers d'achat virtuels ; et prennent note des bannières publicitaires sur lesquelles nous cliquons.

Les témoins de connexion sont omniprésents sur Internet. Quant à leur durée, elle varie d'un témoin à l'autre. En mars 2007, Google annonçait qu'il comptait réduire l'espérance de vie de son témoin à 18 mois – le *PREF cookie* de Google n'expirait précédemment qu'en 2038 –, mais on pourrait dire qu'il s'agit là d'une mesure purement symbolique puisque le témoin se renouvelle à chaque visite.

Vous pouvez désactiver l'enregistrement de témoins sur votre ordinateur, mais en ce cas il est probable que vous n'aurez pas accès à certains sites. Yahoo!, par exemple, vous refusera l'accès à certaines fonctionnalités si vous bloquez ses témoins. C'est simple : pas de témoin, pas de boîte de courriel (Yahoo! Mail) et pas de personnalisation du site (Mon Yahoo!). Dans mon cas, le témoin de Yahoo! permet à l'entreprise de savoir que je vis à Berkeley, que je vais souvent au ciné, que je lis le *New York Times* et que je suis un fan du Tottenham Hotspur, un club de soccer britannique. Google, pour sa part, lit tous les courriels que je reçois par mon compte gmail et enregistre certains mots-clés dont il se sert pour cibler son contenu publicitaire. Cette tactique d'espionnage permet à Google de savoir que je vais bientôt m'envoler pour New York sur les ailes de la compagnie aérienne JetBlue, que j'ai acheté mon exemplaire de *La longue traîne* sur Amazon.com et que je suis abonné au club de musique BMG, avec une préférence pour la musique classique. Tout ce que je fais, tout ce que j'écris sur le Net est enregistré par les témoins d'entreprises diverses. Naviguer sur Internet, c'est participer malgré soi à une vaste étude de marché.

Les moteurs de recherche ne sont pas les seules entreprises à profiter de cette manne d'informations personnelles. Le 10 août 2006, soit quatre jours après la monumentale fuite de données chez AOL, Amazon.com déposait une demande visant à breveter un système qui lui permettrait de recueillir et de stocker des quantités massives de renseignements personnels sur ses millions de clients. Des détails concernant l'ethnie, la religion, la situation financière et les préférences sexuelles du client seraient enregistrés. Non content de contrôler les habitudes de magasinage du consommateur, Amazon veut contrôler le consommateur lui-même, réduisant celui-ci à une simple donnée, un point infime relié à une infinité d'intentions consommatoires.

Sir Francis Bacon, père du raisonnement inductif, disait : « Le vrai pouvoir, c'est la connaissance. » Aujourd'hui, à l'ère numérique, ce n'est pas la connaissance, mais l'information qui est source de pouvoir. Et plus l'information est personnelle, plus grand est le pouvoir potentiel qu'elle confère à celui qui la détient.

Cette « culture de la surveillance » ne nous est pas imposée par les agrégateurs d'information : elle est nourrie par notre propre propension à l'autodiffusion. Les chasseurs et collectionneurs de données sont ravis de tout ce contenu que nous, les utilisateurs, générons. Plus nous nous révélons dans notre profil MySpace, dans nos vidéos sur YouTube, dans nos blogues ou dans les blogues des autres, plus nous devenons vulnérables aux attaques des espions, des voyeurs, des maîtres chanteurs et des mauvaises langues qui pullulent sur le Net. La culture de l'autodiffusion a fait d'Internet un confessionnal dans lequel nous exposons nos plus intimes convictions, révélons tous les détails croustillants de notre vie privée et sexuelle.

L'intimité et la discrétion ne sont définitivement plus à la mode. Il n'y a qu'à jeter un coup d'œil du côté de sites comme DailyConfession.com, NotProud.com et PostSecret.com pour être convaincu de la chose. Au sein de ces confessionnaux virtuels, qui jouissent en passant d'un achalandage monstre, tous les péchés imaginables, de l'avarice à la paresse en passant par la luxure, font l'objet d'aveux publics. C'est le paradis des voyeurs, de tous ceux qui adorent fourrer leur nez dans les affaires des autres. Ces confessions sont rédigées sous le couvert de l'anonymat, toutefois les sites utilisent des témoins qui leur permettent d'identifier ceux qui les ont écrites, de même que ceux qui les lisent. Il est certain qu'un pirate informatique accédera un jour à la base de données d'un de ces sites et qu'il publiera sur Internet les noms et adresses de tous les auteurs de ces confessions.

Eu égard à toutes ces technologies d'espionnage dont dispose Web 2.0, on ne s'étonnera pas du fait que la CIA, cette notoire agence du renseignement américaine, ait créé un réseau en ligne hautement sécurisé qui permet aux espions du monde entier d'échanger les renseignements, photos aériennes et vidéos de surveillance qui sont le fruit de leur labeur. Dans un article du *New York Times*, un officier de la marine américaine, spécialiste de la défense et de la sécurité nationales, justifiait l'existence de ces blogues d'espions par cette tautologie : « Pour combattre un réseau comme celui d'Al-Qaïda, disait-il, il faut qu'on se comporte nous aussi comme un réseau[4]. » Qu'est-ce qu'ils vont nous dire après ça ? Que la seule façon de vaincre les terroristes, c'est de démolir des gratte-ciel à coups de Boeing ?

L'article du *New York Times* nous apprend par ailleurs que la CIA semble se fier à cette même « sagesse de la masse » qui meut les moteurs de recherche. « L'intelligence collective d'un million d'amateurs connectés en réseau sera toujours supérieure à celle d'une élite de spécialistes se réunissant à huis clos », d'ajouter le militaire interviewé.

Espérons que le réseau d'espions de la CIA ne décidera pas un jour de partager les détails intimes de nos vies avec cette belle « intelligence collective » que représente l'ensemble des internautes.

Pour démocratiques qu'ils soient, les sites à contenu autoproduit, avec leurs auditoires de voyeurs et d'exhibitionnistes où tout le monde espionne tout le monde, annoncent l'implosion du droit à la vie privée. Au sein de ce dédale panoptique, les professeurs surveillent les étudiants, les étudiants épient les professeurs et tous les utilisateurs s'espionnent entre eux.

Dans le roman visionnaire *1984*, George Orwell brossait le portrait d'une société de surveillance pyramidale ayant à son sommet Big Brother, une entité omnisciente et omniprésente qui écoute chacune de nos conversations, épie le moindre de nos mouvements et lit même dans nos pensées.

Web 2.0 est une version démocratisée de la vision orwellienne : chaque internaute est devenu aujourd'hui un Big Brother en puissance. Le leader unique et omniscient a été supplanté par des millions d'espions évoluant librement dans la république du cyberespace.

L'appareil photo a toujours été l'outil de prédilection du parfait espion. Or, cela est encore plus vrai à l'ère numérique. Certains sites Internet – HollaBackNYC.com, par exemple – invitent les gens à photographier les individus qui les « harcèlent » dans la rue en les observant avec trop d'insistance, puis à publier ces photos sur leur site. Alors qu'il ne visait à l'origine que la ville de New York, le concept HollaBack (de l'anglais *holler back*, qui dans ce contexte veut dire « riposter ») a maintenant été adapté à plusieurs villes américaines, canadiennes et européennes.

À l'avenir, pensez-y à deux fois avant de sourire à quelqu'un dans la rue, car cette personne prendra peut-être votre photo pour faire de vous un membre involontaire de la communauté HollaBack ! On n'aurait pu imaginer meilleure façon d'humilier publiquement des gens qui n'ont absolument rien fait de mal.

Ces sites sont en train de transformer le citoyen moyen en espion à la solde d'Internet. En décembre 2006, la prestigieuse agence de presse Reuters lançait une initiative du genre en collaboration avec Yahoo !, l'idée étant de permettre aux photographes et aux vidéastes amateurs de présenter leurs images sur les sites des deux organismes ; Reuters distribuerait ensuite ce contenu amateur aux milliers de médias – journaux, sites Internet, chaînes télé – abonnés à son service de presse. « Cela fait de chacun de nous un journaliste indépendant », déclarait, le plus sérieusement du monde, le président de Reuters au *New York Times*.

Mais qu'arrivera-t-il si tous les individus de la planète se mettent soudain à jouer les reporters ? Ce partenariat entre Yahoo! et Reuters nous encourage à nous photographier les uns les autres, sans raison, si ce n'est que sous un vague prétexte journalistique. C'est de l'espionnage citoyen déguisé en journalisme. Le président de Reuters justifie cette initiative plutôt louche en disant : « Il y a une demande de plus en plus forte pour des images intéressantes et iconiques. »

Mais qu'est-ce qui donne à l'un de nous la permission de prendre des photos *intéressantes* et *iconiques* de ses semblables ? À quel moment cet aspect du journalisme citoyen devient-il une atteinte à la vie privée ? Comment distinguer, dans ce fouillis d'images, une vraie nouvelle d'une intrusion injustifiée dans la vie d'autrui ? Depuis le début de la révolution Web 2.0, la ligne de démarcation entre ce qui est public et ce qui est privé n'a cessé de s'embrouiller. Les requêtes que nous adressons aux moteurs de recherche, nos courriels, les fautes que nous confessons au cyberespace, toutes ces choses qui font partie de notre sphère privée menacent de basculer subitement dans le domaine public. Et avec cette menace, c'est notre droit à la libre expression qui est menacé.

Vous croyez que l'information publiée par vous ou à votre sujet sur Internet n'a pas d'importance ? Vous avez tort. En 2006, le Reed College de Portland, Oregon, a rejeté la demande d'admission d'un étudiant qui avait publié sur son blogue des commentaires désobligeants au sujet de cette institution. Une école secondaire de Costa Mesa, en Californie, a suspendu vingt élèves qui avaient tenu des propos antisémites sur un groupe de discussion de MySpace. En Louisiane et au Colorado, des athlètes universitaires ont été suspendus après avoir dénigré leur entraîneur sur Facebook. Un employeur a retiré une offre d'emploi faite à un futur diplômé du Vermont Technical College parce que celui-ci avait inscrit sur sa page de Facebook qu'il aimait boire de l'alcool et faire la fête. À l'automne 2006, Aleksey Vayner, un étudiant de dernière année à l'Université Yale, postulant pour un poste à l'Union des banques suisses (UBS), a fait parvenir à son employeur potentiel une lettre de présentation de onze pages, un CV détaillé, ainsi qu'une vidéo de son cru intitulée *Impossible is Nothing* (L'impossible n'est rien) qui faisait état de ses prouesses de tennisman et de culturiste. Un employé de l'UBS a eu la mauvaise idée de publier la lettre et le CV du postulant sur Internet, et de mettre sa vidéo sur YouTube. Vayner reçut dans les jours suivants des centaines de courriels moqueurs, voire menaçants ; mais le pire, c'est que l'indiscrétion dont il a été victime a tué sa carrière de prédilection dans l'œuf : ses aspirations bancaires ayant été annihilées avant même qu'il ne se rende à Zurich, Aleksey Vayner songe maintenant à se tourner vers le domaine de l'immobilier.

L'humiliation publique dont Vayner a été victime, cette fuite qui a fait tant de tort aux utilisateurs d'AOL en août 2006 ne sont rien en comparaison du sort que Web 2.0 a réservé au journaliste chinois Shi Tao. En avril 2005, ce reporter du *Dangdai Shang Bao*, un quotidien de la province du Hunan, fut condamné à 10 ans de prison pour « divulgation illégale de secrets d'État à l'étranger ». Son crime avait été de transmettre par courriel à des journalistes étrangers une note interne, rédigée par le gouvernement chinois, concernant le quinzième anniversaire du massacre de la place Tiananmen.

Comment les autorités chinoises ont-elles retracé l'auteur de cette « trahison » ? Parce que Yahoo ! leur a donné accès à des informations, notamment aux courriels de ses utilisateurs, qui leur ont permis de remonter jusqu'au journaliste.

L'UTOPIE GOOGLIENNE

Big Brother réside aujourd'hui dans la petite ville californienne de Mountain View. C'est là, de fait, qu'est situé le quartier général de Google, l'entreprise Internet la plus puissante du monde. Dans ces bureaux, une armée d'ingénieurs en logiciel, de mathématiciens et de spécialistes en architecture du logiciel, la plupart des sommités mondiales dans leur domaine, échafaudent, algorithme par algorithme, les outils qui annoncent l'ère de la surveillance numérique.

Selon Nigel Gilbert, un professeur de l'Université de Surrey qui a réalisé en 2006, sous l'égide de la Royal Academy, une étude des nouveaux systèmes de surveillance, Google sera en mesure, d'ici cinq ans, de suivre les mouvements et intentions de chaque individu de la planète, soit par Google Earth (un service que les gouvernements étrangers utilisent déjà pour localiser les bases militaires secrètes de l'armée américaine), Google Calendar ou Google Health, un nouveau site en voie de développement[5].

Le commissaire à l'information du Royaume-Uni, Richard Thomas, partage les préoccupations du professeur Gilbert. « La société de surveillance que nous appréhendons est déjà là, tout autour de nous », dit-il. Plusieurs penseurs américains abondent dans le sens de Thomas, parmi eux l'essayiste et designer numérique Adam Greenfield, auteur d'*Everyware : La révolution de l'ubimédia*. Dans cet ouvrage, Greenfield prédit que dans un proche avenir tous les objets usuels, des vêtements aux sous-verres, seront dotés d'ordinateurs minuscules. Au sein de cette informatisation omniprésente, de cette « ubimédiatisation » du monde, l'individu entretiendra un dialogue constant avec la machine, l'humain sera en interface constante avec les choses. Or, chacun des contacts que nous entretiendrons quotidiennement avec nos habitations intelligentes, nos meubles intelligents, nos vêtements intelligents et nos baignoires intelligentes générera des données qui seront enregistrées dans une gigantesque base de données semblable à celle de Google.

Avec l'ubimédia, nous arrivons à l'ère de la surveillance. Une fois que les ordinateurs auront fusionné avec les objets du quotidien, qu'ils seront dans nos vêtements, sur nos murs et dans nos rues, dans nos salons et dans nos salles de bain, le moindre de nos gestes, la moindre de nos activités sera connue, enregistrée, quantifiée. Toute cette information sera compilée, intégrée à un réseau, puis distribuée. Comme le dit le professeur Gilbert, nous pourrons bientôt écrire une requête du genre « que faisait untel hier à 14 h 30 » dans le champ de recherche de Google, et obtenir une réponse.

Si nous en arrivons là, c'est que la vie privée aura disparu. Ce sera un monde où l'individu n'aura plus droit au secret.

Le *New York Times* prédit que le prochain boom Internet (appelons-le Web 3.0) surviendra quand nous aurons créé des logiciels « intelligents » qui prédiront nos intentions et nos décisions futures en se basant sur des renseignements puisés à même le Net. L'Université de Washington a déjà lancé une version bêta d'un logiciel capable de déduire, à partir des critiques d'hôtel en ligne et des préférences enregistrées par l'utilisateur, quel sera l'hôtel idéal pour chaque individu. J'admets que ce projet qui a pour nom KnowItAll (je-sais-tout) et qui a été financé par Google – ô surprise ! – ne semble pas menaçant de prime abord. Quel voyageur n'aimerait pas que son ordi puisse lui dénicher un hôtel bien situé, qui a des lits confortables, une piscine magnifique, un bon rapport qualité-prix et ses plats préférés au menu ? Vous trouvez que ce serait bien ? Voulez-vous vraiment que Google vous connaisse au point de pouvoir anticiper vos moindres faits et gestes ? Au point qu'il puisse prédire ce que vous penserez et déciderez ?

C'est le rêve de Google que de créer un monde où l'information est omniprésente. À la conférence Zeitgeist de 2006, un événement organisé par Google pour ses partenaires européens, le cofondateur de l'entreprise, Larry Page, expliquait sa vision d'un moteur de recherche « parfait »[6]. « Le moteur de recherche parfait serait omniscient, disait-il. Il comprendrait tout ce que vous lui demandez et vous donnerait instantanément la bonne réponse.»

Aux yeux de Page, ce «moteur de recherche parfait» représente l'objectif ultime de Google, son Saint-Graal. C'est une version moderne des oracles de la Grèce antique, le pendant technologique du dieu omniprésent et omnipotent de la chrétienté.

Que deviendra l'être humain dans cet univers ubimédiatisé, régi par des bases de données omniscientes? Qu'adviendra-t-il de nous quand nous serons sous l'emprise d'une surveillance numérique absolue?

Vous le savez, n'est-ce pas?

CHAPITRE 8

Les solutions

A lors, qu'est-ce qu'on peut faire?
Y a-t-il une façon d'orienter la révolution Web 2.0 pour qu'elle soit constructive, pour qu'elle enrichisse notre économie, notre culture et nos valeurs au lieu de les détruire? Que doit-on faire pour s'assurer que nos traditions les plus chères, qui nous incitent à valoriser le savoir et les compétences, à encourager l'accomplissement créatif et à favoriser le maintien d'une économie de l'information fiable et prospère, ne seront pas balayées par le tsunami du culte de l'amateur?

Je ne suis pas contre le progrès et la technologie. Bien au contraire, je crois qu'il y a quelque chose de miraculeux dans la façon dont la technologie numérique nous permet de communiquer entre nous et de partager notre savoir avec l'humanité entière. J'admets qu'il m'aurait été très difficile de compléter ce livre sans ces précieux outils que sont le courrier électronique et Internet. L'époque où les gens écrivaient à la lueur de la chandelle des lettres qui étaient ensuite livrées par un cavalier à cheval ne m'inspire aucune vision romantique et aucune nostalgie.

La technologie numérique est indissociable de la vie au XXIᵉ siècle. À la conférence TED de février 2005, Kevin Kelly a dit: «On peut ralentir l'avancée de la technologie, mais on ne peut pas l'arrêter.» C'est très juste. Pour le meilleur ou pour le pire, les médias participatifs de Web 2.0 sont en train de transformer notre paysage commercial, politique et intellectuel. On ne peut pas déclarer Wikipédia illégal. On ne peut pas ressusciter Tower Records. On ne peut pas changer le fait que des sites comme MySpace et YouTube sont immensément populaires et de plus en plus rentables. Au lieu d'essayer de revenir en arrière, nous devons nous employer à protéger les médias traditionnels, le droit d'auteur et la propriété intellectuelle au sein de cet univers numérique. Notre but doit être de préserver notre culture et nos valeurs tout en profitant des bienfaits que nous offre la technologie de Web 2.0. C'est ce fragile équilibre qui nous permettra de continuer d'avancer vers l'avenir sans détruire le passé.

LE PROJET CITIZENDIUM

En janvier 2000, un étudiant de 3ᵉ cycle du nom de Larry Sanger est allé voir le cyberentrepreneur Jimmy Wales parce qu'il avait dans l'idée de créer un blogue culturel. Nous avons vu au chapitre 2 le résultat de cette rencontre : Wales a engagé Sanger et les deux hommes ont créé une première encyclopédie collaborative en ligne, Nupedia, avant de fonder Wikipédia en janvier 2001.

Mais contrairement à Sergei Brin et Larry Page chez Google, ou à Steve Chen et Chad Hurley de YouTube, la collaboration entre Wales et Sanger ne connut pas une fin heureuse. Pourquoi ? Parce que Larry Sanger a finalement réalisé que Wikipédia était un projet imparfait, aux conséquences potentiellement désastreuses.

Sanger supervisait l'ensemble des activités de Wikipédia. C'est lui qui devait s'occuper des fanatiques qui publiaient et republiaient chaque jour des milliers d'articles, des anarchistes anonymes qui se plaignaient sans arrêt des protocoles et de la qualité du contenu de Wikipédia. Après deux ans de ce régime, Sanger en eut assez et plia bagages.

Ces deux années chez Wikipédia permirent à Sanger de constater que la démocratisation de l'information peut rapidement dégénérer en un égalitarisme radical intellectuellement corrosif. L'expérience prouvait que les connaissances d'un expert l'emportaient toujours sur la « sagesse » collective des amateurs. Par conséquent, une encyclopédie collaborative comme Wikipédia ne pouvait fonctionner efficacement que si les contributions de ses collaborateurs anonymes étaient vérifiées et éditées par une autorité quelconque. Un réseau libre entièrement démocratique comme celui de Wikipédia ne pouvait qu'être corrompu tôt ou tard par des tarés et des fanatiques.

Ayant compris que le problème de Wikipédia résidait dans son application, et non dans la technologie elle-même, Sanger a repensé le concept, incorporant le savoir et le savoir-faire de spécialistes au contenu généré par les utilisateurs. En septembre 2006, il lance Citizendium, une encyclopédie libre qui allie les avantages des anciens et des nouveaux médias. « C'est un nouveau projet wiki expérimental où la participation du public est guidée par l'avis d'experts», dit Sanger.

En d'autres mots, Citizendium tenterait de fusionner l'énergie participative de Wikipédia et la fiabilité professionnelle d'une encyclopédie traditionnelle telle l'*Encyclopœdia Britannica*. Sur Citizendium, l'information soumise par le public est révisée puis approuvée par des spécialistes; ce sont ces experts qui tranchent quand il y a différend. Des sentinelles font régner l'ordre en censurant les utilisateurs délinquants et les fauteurs de troubles.

Ce qu'il y a de bien dans Citizendium, c'est que le site reconnaît que certaines personnes en savent plus que d'autres sur un sujet donné – un professeur qui enseigne la littérature à Harvard connaît le roman et son évolution mieux qu'un élève du secondaire. Cela semble évident – et ce l'est –, n'empêche que le simple fait qu'un pionnier de Web 2.0 de la trempe de Larry Sanger ait compris cela démontre que tout n'est pas perdu.

Sanger n'est d'ailleurs pas le seul pionnier de Web 2.0 à avoir détecté les faiblesses inhérentes au contenu amateur. Niklas Zennstrom et Janus Friis, les fondateurs du site de partage de fichiers Kazaa et du service de téléphonie en ligne Skype (qu'ils ont vendu à eBay en septembre 2005 pour la somme de 2,5 milliards) ont créé un service de télévision en ligne nommé « Joost ». Reconnaissant la convergence de plus en plus marquée de ces deux médiums que sont l'Internet et la télévision, les fondateurs de Joost ont créé une plateforme qui permet aux producteurs de contenu vidéo professionnel de distribuer et de vendre leur produit sur le Net. Contrairement à la télévision traditionnelle qui est un médium à sens unique, Joost bénéficie de l'interactivité et de la pluralité d'un réseau de diffusion en ligne.

Mais Joost n'est déjà plus seul dans son créneau: Brightcove, une entreprise Internet de Boston fondée par l'ancien directeur technologique de Macromedia, Jeremy Allaire, offre elle aussi un service de télévision en ligne.

Contrairement à des sites comme YouTube, où le contenu est généré par l'utilisateur, Joost et Brightcove font la distinction entre créateur de contenu et consommateur de contenu. Ces services offrent un contenu de qualité supérieure à YouTube parce que leur contenu est produit par des professionnels. On retrouve même sur Joost de la programmation créée à l'origine pour la télévision: en février 2007, Viacom vendait à Joost les droits de diffusion d'émissions destinées aux chaînes MTV, Comedy Central et BET.

Les plateformes comme Joost et Brightcove sont le futur de la télévision en ce sens qu'elles allient les qualités de la télé traditionnelle aux fonctionnalités propres aux nouvelles technologies. Ces sites permettent aux utilisateurs de correspondre par messagerie instantanée ou de vidéo-bavarder tandis qu'ils regardent ensemble leurs émissions préférées.

Ce genre de service m'apparaît extrêmement important du fait qu'il démontre que la technologie Web 2.0 peut se mettre au service du professionnel et du spécialiste, qu'elle n'est pas irrémédiablement condamnée à écraser ceux-ci au profit de l'amateur. La révolution numérique finira-t-elle par renforcer la crédibilité du spécialiste ? Lui donnera-t-elle enfin les outils dont il a besoin pour faire valoir son savoir et ses compétences ? Avec des sites comme iAmplify, nous sommes en droit de l'espérer. iAmplify est une plateforme de publication qui permet à des experts de tous les domaines imaginables d'offrir leurs conseils et leurs compétences à l'utilisateur. L'abonné qui veut perdre du poids, qui a besoin d'aide pour boucler son budget ou qui est en quête de conseils visant l'éducation de ses enfants peut se prévaloir de l'avis d'un spécialiste en la matière en téléchargeant tout simplement un fichier audio ou vidéo. L'exemple de iAmplify prouve que la technologie Web 2.0 peut aider le spécialiste à rejoindre sa clientèle.

L'avenir d'Internet réside-t-il dans iAmplify ou dans MySpace ? Dans You-Tube ou dans Joost ? Dans Wikipédia ou dans Citizendium ? C'est une question d'idéologie bien plus que de technologie. Au bout du compte, c'est nous qui déciderons. Nous pouvons, nous devons résister au chant de sirène de l'amateur noble et ranimer la foi que nous avions jadis en nos spécialistes.

Plusieurs journaux et magazines ont résolu, à l'instar de la télé, d'allier nouvelle technologie et contenu traditionnel, et ce, sans compromettre leurs standards éditoriaux. C'est le cas du quotidien britannique *The Guardian*, qui s'est adapté à Internet tout en maintenant la qualité de ses articles et reportages. *Guardian Unlimited*, la version en ligne du journal, intègre à merveille la démocratie interactive de Web 2.0 aux traditions journalistiques qui ont fait sa réputation. Le site connaît un tel succès qu'il compte davantage de lecteurs aux États-Unis que les versions en ligne des plus grands journaux américains, notamment le *Los Angeles Times*. Le forum de discussion du *Guardian Unlimited* est truffé d'opinions librement exprimées par des lecteurs souvent mal informés, mais la frontière entre reportage professionnel et opinion d'amateur est ici clairement délimitée, ce qui n'est pas le cas dans bien des journaux en ligne, où blogues de lecteurs, publicités payées et contenu journalistique s'entremêlent sans distinction aucune.

Même s'il est gratuit, le *Guardian Unlimited* s'avère une réussite financière, ce qui a incité d'autres quotidiens à hâter leur passage au médium virtuel. En janvier 2007, le nouvel éditeur du *Los Angeles Times*, James

E. O'Shea, annonçait à grands cris une initiative visant à intensifier les ressources investies dans le journalisme numérique et les reportages en ligne, particulièrement en ce qui concernait l'actualité « hyperlocale ». C'était, selon O'Shea, une façon plus rentable de livrer l'information à ses lecteurs, un processus qu'O'Shea lui-même décrit comme étant « le pain quotidien de la démocratie[1] ».

Le *Wall Street Journal* a récemment décidé de transférer sur Internet les segments d'analyses et d'opinions publiés jusque-là dans sa version papier. Cette initiative a permis au quotidien de réduire le coût et les dimensions de son journal imprimé sans pour autant compromettre son intégrité journalistique et son processus de collecte d'informations. L'expérience fort concluante du *Guardian* et du *Wall Street Journal* laisse entrevoir un avenir où la presse écrite pourra embrasser le médium virtuel sans relâcher ses standards professionnels, tout en augmentant ses revenus et son lectorat.

Outre les versions en ligne de journaux imprimés, Internet héberge de plus en plus de sites d'information professionnels strictement virtuels. L'exemple de *Politico*, un site d'actualités de Washington, D. C., démontre qu'Internet, de par sa flexibilité et son accessibilité, peut potentiellement devenir le médium de prédilection du journalisme professionnel. Fondé en janvier 2007 par l'ancien rédacteur politique du *Washington Post*, John Harris, *Politico* emploie des reporters chevronnés issus de publications reconnues telles que le *Washington Post* et la revue *Time*, de l'agence de presse Bloomberg News, ainsi que du réseau de radio publique américain (National Public Radio). Ces journalistes de premier plan confèrent statut et crédibilité à *Politico* non seulement parce qu'ils sont connus, mais parce qu'ils sont reconnus pour leur éthique journalistique. Ils bénéficient par ailleurs d'un réseau de contacts élaboré, fruit de leur expérience au sein des médias traditionnels, qui manque cruellement aux blogueurs et aux citoyens journalistes qui sévissent un peu partout sur Internet.

En novembre 2006, la charismatique fondatrice du site d'information HuffingtonPost.com, Arianna Huffington, annonçait qu'elle engagerait des journalistes du *New York Times*, de *Newsweek* et d'autres publications du genre pour couvrir les élections présidentielles de 2008. En combinant ainsi l'énergie et l'interactivité du blogue politique à la qualité et à la fiabilité du journalisme professionnel, le Huffington Post offre à ses lecteurs le meilleur de deux mondes. Cela dit, il ne faut pas se faire d'illusions : un blogue politique n'aura jamais l'envergure d'un vrai journal.

Au bout du compte, nous seuls déciderons, par nos comportements et nos décisions, du sort de la presse écrite. Si nous voulons perpétuer la liberté de la presse et la qualité du médium, nous continuerons d'acheter et de lire des journaux – n'oublions pas que l'information du citoyen est un élément fondamental de toute démocratie ! De leur côté, les entreprises journalistiques font le nécessaire pour s'adapter à la migration des budgets de publicité vers Internet. En novembre 2006, 176 quotidiens américains concluaient avec Yahoo ! une entente qui leur permettrait de publier leurs petites annonces sur le site. Quelques jours plus tard, Google annonçait une entente similaire avec un groupe de 50 journaux majeurs, incluant le *Washington Post*, le *Chicago Tribune* et le *New York Times* ; le partenariat s'exprimerait en ce cas-ci par un partage entre le contenu éditorial, le contenu publicitaire et la technologie. Le site de recherche d'emploi Monster.com a pour sa part accepté de publier les offres d'emploi inscrites dans les petites annonces de 40 quotidiens états-uniens, dont le *Philadelphia Enquirer* et le *Philadelphia Daily News*. Ces partenariats suffiront-ils à combler le manque à gagner de tous ces journaux dont les tirages sont à la baisse ? Seul l'avenir nous le dira.

Et qu'en est-il de l'industrie de la musique ? Les maisons de disques parviendront-elles à se réinventer, à trouver un modèle d'entreprise qui leur permettra de rester compétitives en dépit de cette vague de piratage et de téléchargement illégal qui risque de les submerger ? Le *New York Times* nous apprenait récemment que seulement 74 pour cent des revenus générés par un album hip-hop à succès paru chez Warner Records provenaient des ventes de CD ; le reste découlait de la vente de produits connexes – sonneries téléphoniques, jeux pour téléphones cellulaires, fonds d'écran, etc. Ces produits compagnons pourraient fort bien devenir, dans un proche avenir, la principale source de revenus de l'industrie musicale américaine, comme c'est déjà le cas dans d'autres pays.

L'industrie de la musique semble avoir beaucoup de mal à s'adapter à la réalité de Web 2.0. J'ai du mal à concevoir pourquoi les CD se vendent encore environ 16 $ en magasin – du moins dans le cas des nouvelles parutions – alors que, sur iTunes, le consommateur peut acheter un album complet pour 10 $ ou télécharger des chansons individuelles à 1 $ pièce. Pourquoi l'industrie s'accroche-t-elle à cette politique de prix pour le moins archaïque ? Ne pourrait-elle pas rationaliser ses coûts d'emballage, d'entreposage et de distribution de façon à rendre le CD plus compétitif par rapport à l'album numérique ? Un tel geste n'empêchera sans doute pas le piratage, néanmoins il aiderait le CD à regagner une partie de sa clientèle d'antan.

Les maisons de disques doivent par ailleurs cesser de croire que les applications de gestion des droits numériques (GDN) parviendront, par quelque opération magique, à complètement enrayer le piratage de musique. Qu'est-ce que la GDN ? C'est une mesure, appliquée par un logiciel de protection qui accompagne la musique vendue par téléchargement sur Internet, destinée à empêcher l'utilisateur de transférer les chansons d'un médium à un autre – d'un iPod à un autre baladodiffuseur, par exemple, ou du juke-box de iTunes à un autre lecteur multimédia. L'histoire démontre cependant que ces verrous électroniques ne dissuadent en rien les pirates qui volent de la musique sur Internet. Même Steve Jobs, le grand manitou d'Apple, qui a pourtant largement contribué, avec iPod et iTunes, à l'extraordinaire croissance du marché musical numérique – un marché dont les revenus totaux s'élevaient à 2 milliards en 2006[2] –, s'est prononcé contre la GDN. L'industrie devrait peut-être tenir compte de l'opinion du PDG d'Apple étant donné que 85 pour cent des 525 millions de téléchargements de musique légaux effectués aux États-Unis en 2006 ont été vendus sur iTunes[3]. Dans un communiqué datant de février 2007, Jobs précisait que la vaste majorité de la musique piratée provenait de CD copiés illégalement puis transférés sur Internet, et non des fichiers téléchargés légalement à partir de revendeurs virtuels tel iTunes. Pourquoi embarrasser les consommateurs de musique en ligne d'un système de GDN quand les CD, eux, n'en contiennent aucun ? «Vu sous cet angle, la GDN ne présente aucun avantage», de conclure Jobs[4].

Ici encore, ce sont nos comportements qui décideront en grande partie de l'avenir de l'industrie du disque. Nous devons comprendre que le partage de fichiers et le téléchargement illégal sont en train de tuer une industrie qui, de Paul Simon aux Beatles, de Beyoncé à Carrie Underwood, nous a fait découvrir nos artistes préférés. Le seuil de rentabilité de l'industrie de la musique réside quelque part entre ce CD à 16 $ que presque plus personne ne veut acheter et le fichier numérique téléchargé gratuitement, illégalement sur Internet. Le site eMusic a peut-être trouvé la solution de l'avenir. Deuxième en importance après iTunes, eMusic vend de la musique sous forme de fichiers MP, mais sans GDN, ce qui permet au client de transférer ses fichiers autant de fois qu'il le désire dans les lecteurs et baladeurs de son choix. Pour la modique somme de 19,95 $ par mois, l'abonné d'eMusic peut télécharger 70 chansons. Bien que les quatre plus grosses étiquettes de l'industrie aient jusqu'ici refusé d'inclure leur catalogue sur eMusic, le site a attiré à ce jour quelque 250 000 abonnés et dessert plus de 13 000 étiquettes indépendantes[5]. Au troisième trimestre de 2006, eMusic raflait 10 pour cent des parts du marché de la musique numérique, soit l'équivalent de Napster, MSN Music et Yahoo ! Music combinés. Le succès du modèle d'entreprise d'eMusic démontre que les amateurs de musique sont prêts à payer quand le prix est compétitif, mais aussi que les étiquettes et les artistes peuvent réaliser un bénéfice même s'ils vendent leurs chansons moins de 0,99 $ pièce. eMusic nous laisse entrevoir un avenir où l'industrie sera dynamisée et prospérera de nouveau, et où l'amateur sera motivé à acheter, et non à voler, la musique qu'il consomme. Il suffira peut-être que les grosses étiquettes s'adaptent à l'air du temps pour que toute l'industrie s'en trouve transformée. Le changement s'opère déjà, d'ailleurs : en avril 2007, EMI devenait la première grande étiquette à proposer son catalogue sur Internet en format MP3 sans GDN[6].

Pour que l'industrie de la musique retrouve sa vitalité d'antan, pour qu'elle continue de prospérer sous la poussée de nouvelles étiquettes indépendantes, de nouveaux artistes et de nouveaux services comme eMusic, il faut que le consommateur cesse de voler le labeur créatif des autres et consente à payer pour toutes ces merveilleuses découvertes musicales qui lui sont promises.

CRIME ET CHÂTIMENT

En mars 2006, je me suis retrouvé au cœur d'un débat en ligne avec Glenn Reynolds, créateur du blogue politique Instapundit et auteur du livre *An Army of Davids*. J'avais signé pour le *Weekly Standard* une critique de cet ouvrage dans laquelle je disais que le raisonnement de Reynolds reposait sur une prémisse d'un romantisme tout à fait marxiste, à savoir que l'être humain est capable d'utiliser la technologie de façon responsable. Or, c'est justement sur ce point que les pragmatistes, dont j'espère faire partie, et les utopiens numériques comme Reynolds ne peuvent s'entendre : peut-on se fier au fait que l'individu se comportera correctement dans l'univers sauvage de Web 2.0 ?

Personnellement, j'en doute. Je serais plutôt porté à croire que l'être humain peut facilement être séduit, corrompu, détourné du droit chemin et entraîné dans le mal et le vice. Nous avons besoin de règlements pour nous aider à contrôler notre comportement en ligne au même titre où nous avons besoin du code routier pour nous protéger et nous aider à éviter les accidents. Les lois sont là pour nous aider à réfréner nos pires instincts et nos comportements destructeurs, aussi est-il nécessaire, selon moi, de procéder, dans une certaine mesure, à la réglementation du cyberespace.

Faire régner la loi sur Internet n'est pas chose impossible. C'est du moins ce qu'a découvert le PDG de BetOnSports, David Carruthers, en juillet 2006. Le 15 du mois, le businessman britannique, arrivé de Londres, attendait à l'aéroport international de Dallas le vol de correspondance qui devait le mener à San José, au Costa Rica, ville où se trouve le siège social de BetOnSports. Mais Carruthers ne montera jamais à bord du vol 2167 d'American Airlines : durant la courte escale, les autorités américaines l'appréhendèrent et portèrent contre lui des accusations de complot, de racket et de fraude.

Certains se demanderont ce que Carruthers avait bien pu faire de mal. BetOnSports, son entreprise de paris en ligne, était inscrite après tout à la Bourse de Londres et avait généré des profits de 20,1 millions sur un chiffre d'affaires de 1,77 milliard.

Le fait est que les jeux d'argent en ligne sont prohibés aux États-Unis en vertu de la *Federal Wire Act,* une loi datant de 1961 qui interdit la transmission de paris par téléphone, télégraphe ou tout autre système de communication fonctionnant par fil – ce qui inclut maintenant Internet. Cette loi n'a pas empêché les sites de paris et les casinos en ligne de proliférer en Amérique au point de générer des revenus de plus de 6 milliards de dollars. Ces entreprises ont échappé jusqu'ici à la justice américaine en établissant leurs serveurs dans des paradis fiscaux extraterritoriaux tels que le Costa Rica, Gibraltar, Antigua et les îles anglo-normandes.

Le président de SportingBet.com, Peter Dicks, fut arrêté quelques mois après David Carruthers. En sévissant contre ces deux magnats du jeu en ligne, les autorités américaines portèrent un grand coup à cette industrie illicite (aux États-Unis) et dévastatrice. Voyant son PDG assis au banc des accusés dans la combinaison orangée typique des prisonniers américains avec 21 chefs d'accusation à son actif, BetOnSports a cessé d'accepter les paris d'utilisateurs ayant une adresse IP états-unienne. SportingBet a pour sa part vendu l'ensemble de ses activités américaines suivant l'arrestation de son président.

Le Congrès américain a récemment voté de nouvelles lois dans le but de juguler encore davantage le jeu en ligne. Le 30 septembre 2006 marque l'intronisation du *Unlawful Internet Gambling Enforcement Act* (UIGEA), une loi qui prohibe officiellement les jeux d'argent en ligne et impose des pénalités aux banques et aux sociétés de cartes de crédit qui transigent avec des entreprises de jeu en ligne basées hors du territoire américain. En janvier 2007, quatre maisons de courtage ayant orchestré le premier appel public à l'épargne de sociétés de jeu en ligne faisaient l'objet d'accusations criminelles.

Le resserrement de la législation et de son application a entraîné une diminution du nombre de casinos en ligne. PartyGaming a cessé toute activité aux États-Unis immédiatement après que le UIGEA ait été voté. Un article paru dans la revue *The Economist* affirme que cette loi « a achevé de neutraliser une industrie déjà secouée par les arrestations de Dicks et Carruthers ». Mais la partie n'est pas encore gagnée. Le gouvernement américain doit continuer de légiférer contre le jeu en ligne et de sévir contre les sociétés de jeu basées à l'étranger.

Le jeu en ligne n'est pas la seule cyberactivité qui nécessite une plus stricte réglementation. Nos gouvernements doivent également instaurer des mesures sévères contre la fraude, le vol d'identité et le vol de propriété intellectuelle sur Internet. En février 2006, le sénateur Ed Markey, représentant démocrate du Massachusetts, déposait un projet de loi qui obligerait les moteurs de recherche à effacer toute information concernant ses utilisateurs qui n'a pas d'usage légitime. C'est déjà un grand pas dans la bonne direction. Ce n'est qu'en limitant légalement le type de données qui peut être collecté à notre sujet, ainsi que l'intervalle de temps durant lequel ces données peuvent être conservées, que l'on pourra se protéger contre ces fuites de renseignements qui, au mieux, sont la cause d'humiliations publiques et, au pire, permettent le vol d'identité.

La législation américaine n'a malheureusement pas fait grand-chose pour empêcher le téléchargement illégal de livres, de musiques et de films sur Internet. Cela dit, les industries concernées ont commencé à engager des poursuites judiciaires contre les sites dissidents. En octobre 2005, une coalition d'éditeurs incluant Simon & Schuster, McGraw-Hill, John Wiley & Sons et Penguin USA a poursuivi Google parce que l'entreprise projetait de numériser des millions de livres protégés par un droit d'auteur. En novembre 2006, le Universal Music Group intentait un procès à MySpace pour violation de droit d'auteur, alléguant que le site permettait à ses utilisateurs de publier et de diffuser des versions piratées de musiques et de vidéoclips d'artistes de la maison. Universal exigeait des dommages de 150 000 $ par infraction, une jolie somme étant donné qu'un fort pourcentage des 140 millions d'utilisateurs du site est probablement en violation. En janvier 2007, le réseau télévisé Fox sommait YouTube de révéler l'identité de l'utilisateur qui avait téléversé des copies illégales des *Simpsons* et de *24* sur le site[7]. Un mois plus tard, le géant médiatique Viacom, propriétaire des chaînes MTV, Nickelodeon, Black Entertainment Television (BET) et Comedy Channel, demandait officiellement à YouTube de retirer de son site 100 000 clips qui, au dire des avocats du groupe, enfreignaient la loi sur le droit d'auteur. YouTube ayant refusé d'obtempérer, Viacom intenta une poursuite en mars 2007.

De tels recours à la justice sont nécessaires pour faire comprendre aux contrevenants qu'il y a un prix à payer pour le vol de la propriété intellectuelle. Éditeurs, étiquettes et studios de cinéma doivent prendre les mesures qui s'imposent pour protéger les droits de leurs auteurs et de leurs artistes, car ce n'est qu'en sévissant qu'ils pourront enrayer ce piratage numérique qui est devenu le passe-temps favori de la culture du copier-coller.

Une chose est certaine, c'est qu'il est urgent de légiférer pour protéger nos enfants contre la pornographie et les prédateurs sexuels qui sévissent sur les sites de réseautage personnel comme MySpace. Plusieurs États américains ont déposé des projets de loi proposant que les adresses de courriels et les noms d'utilisateurs d'individus reconnus coupables de crimes sexuels soient enregistrés dans une base de données spéciale qui serait mise en relation avec les bases de données des sites de réseautage personnel. Il est bien que ces États songent à légiférer, mais une loi fédérale s'avérerait sans doute plus efficace.

En tant que chef de file du réseautage personnel, MySpace prend fort heureusement le problème au sérieux. Le site est en train de concevoir une base de données qui contiendra les noms et descriptions physiques de criminels sexuels reconnus, ainsi qu'une technologie qui permettra au site d'identifier et d'expulser les utilisateurs qui ont un profil correspondant. C'est une initiative louable, mais qui n'aborde qu'une partie du problème puisqu'elle ne permet pas d'identifier les prédateurs qui n'ont pas de casier judiciaire ou qui se sont inscrits sur MySpace sous une fausse identité.

Il est bien que les gouvernements s'impliquent et votent des lois, mais au bout du compte il en revient aux sites de réseautage personnel de mieux protéger leurs jeunes utilisateurs en surveillant leur contenu avec davantage de vigilance. Ces sites doivent mettre en place des mesures qui tiendront les mineurs à l'abri des contenus indécents et des avances sexuelles inappropriées. Toutes les photos envoyées par ou à des mineurs devraient être passées au crible. Les parents ont bien entendu leur rôle à jouer : ils peuvent empêcher leurs enfants d'envoyer ou de recevoir des messages à caractère sexuel en utilisant un logiciel pour filtrer certains mots.

Les sites comme MySpace devraient interdire aux utilisateurs mineurs d'inclure dans leur profil des renseignements qui permettraient de les identifier – numéro de téléphone, adresse postale, etc. Les parents (et les écoles) doivent imposer eux aussi des règles en ce sens. Les sites de réseautage doivent mettre en place des mesures permettant de mieux vérifier les antécédents de leurs utilisateurs de façon que ceux-ci ne puissent pas inscrire de fausses informations dans leur profil – en mentant sur leur âge ou sur leur identité, par exemple. Ces sites doivent bannir les délinquants sexuels aussitôt qu'ils sont identifiés et devraient même, dans certains cas, les poursuivre en justice.

Étant moi-même parent, je crois fermement que nos gouvernements doivent se montrer plus vigilants dans l'application des lois qui protègent nos enfants du contenu moralement corrosif qu'on retrouve un peu partout sur Internet. Le *Child Online Protection Act* (COPA), une loi instaurée en 1998 pour protéger les mineurs contre tout contenu en ligne jugé « indécent » en vertu de « normes communautaires contemporaines », gagnerait à être plus rigoureusement appliqué. COPA oblige les exploitants de sites pornographiques en ligne à demander une preuve d'âge à leurs utilisateurs avant de leur donner accès au site ; les exploitants délinquants sont passibles d'une amende de 50 000 $ et de six mois de prison.

COPA est une belle initiative dans la mesure où elle cherche à punir les cyberpornographes qui laissent les enfants entrer sur leurs sites, mais elle reste malheureusement peu appliquée. Tirant parti de certains flous dans la formulation de cette loi, des avocats spécialistes des libertés civiles ont déjà réussi à prouver qu'il était impossible de définir l'indécence « par l'établissement d'une norme communautaire contemporaine ». J'ose espérer que nos législateurs réviseront cette loi si elle s'avère inapplicable.

Soumis au Congrès américain en mai 2006, le *Deleting Online Predators Act* (DOPA) est un projet de loi qui vise à limiter l'accès à Internet sur tous les ordinateurs des écoles primaires et secondaires d'Amérique. Nos enseignants et enseignantes doivent composer aujourd'hui avec des classes qui comptent parfois plus de trente élèves et plusieurs ordinateurs ; or, il est impossible pour eux de donner leur cours tout en contrôlant les habitudes de navigation des élèves qui utilisent ces ordinateurs. Si la loi est adoptée, les ordinateurs scolaires n'auront plus accès aux sites de réseautage personnel, aux salons de clavardage ou à tout autre site sur lequel l'élève peut être exposé à des avances sexuelles ou à du contenu à caractère sexuel.

Vous vous opposez à de telles mesures ? Vous estimez qu'il s'agit là de censure ? Eh bien, allez dire ça aux parents de la petite fille de dix ans qui est tombée sur un clip de porno dur pendant qu'elle faisait des recherches pour un travail scolaire sur un des ordis de la bibliothèque de son école. Dites ça aux parents de ce garçon de douze ans un peu trop dégourdi qui, utilisant un ordinateur de la salle d'informatique de son école, est entré sur un site de zoophilie et d'inceste qu'il a ensuite montré à tous ses camarades de classe.

LE CONTRÔLE PARENTAL

Dans la lutte pour protéger les enfants contre les fléaux de Web 2.0, ce sont les parents qui sont aux premières lignes. Nos enfants passent aujourd'hui de plus en plus de temps en ligne, ce qui rend le contrôle parental d'autant plus important. Le parent peut décider où, quand et comment son enfant utilise Internet. Installez l'ordinateur de votre enfant dans une pièce commune et non dans sa chambre, où vous ne pourriez contrôler ses activités en ligne. Faites en sorte qu'il ne passe pas trop de temps sur des sites comme MySpace qui monopolisent beaucoup trop l'attention des jeunes. Encouragez plutôt votre enfant à faire ses devoirs, à faire de l'activité physique et à interagir avec ses amis.

Grâce à des logiciels de filtrage et de sécurité comme Net Nanny, Cybersitter ou SmartAlex, le parent peut désormais contrôler l'accès Internet de son enfant en bloquant certains sites ou certaines images, en limitant ses activités de messagerie instantanée et de clavardage à une liste de contacts spécifiques, en fixant une limite au temps passé en ligne, en contrôlant les téléchargements et en bloquant la transmission de renseignements personnels – adresses, numéros de téléphone, etc. Certains parents s'opposent à pareilles mesures sous prétexte qu'ils ne veulent pas espionner leurs enfants. Je les comprends. Je ne veux pas moi non plus espionner mes enfants, mais ça ne veut pas dire que je vais leur permettre de regarder la chaîne Playboy, de monter dans la voiture d'un étranger ou de partir en week-end à Las Vegas.

Le parent a la responsabilité d'éduquer son enfant en ce qui a trait à Internet et aux dangers qu'il présente. Nous devons inculquer à nos enfants des comportements en ligne sécuritaires au même titre où nous leur apprenons à regarder des deux côtés de la rue avant de traverser. Nous devons aider l'enfant à améliorer sa capacité de jugement afin qu'il puisse prendre la bonne décision – la décision sécuritaire – lorsqu'il devra faire face à une situation douteuse sur Internet.

UN AVENIR QUI RESPECTE LE PASSÉ

À la conférence TED de 2005, Kevin Kelly a déclaré que développer la technologie était pour nous une obligation morale. « Qu'aurait été Mozart sans l'invention du piano ? se demandait Kelly. Qu'aurait été Van Gogh s'il n'avait pas eu accès à des peintures à l'huile peu coûteuses et de qualité ? Qu'aurait été Hitchcock avant l'arrivée de la technologie cinématographique ? »

Mais la technologie en soi n'est pas gage de génie. Sa seule vertu est de nous donner de nouveaux outils pour exprimer notre créativité. Ce qui est triste, c'est que les Mozart, Van Gogh et Hitchcock du futur passeront peut-être inaperçus dans le chaos démocratisé du contenu autoproduit. Et si Web 2.0 parvient un jour à supplanter pour de bon les médias traditionnels, ces génies ne disposeront plus des infrastructures dont ils ont besoin pour diffuser et vendre efficacement les fruits de leur labeur. Notre obligation morale, notre priorité, ne devrait pas être de continuer à développer la technologie, mais de protéger les médias traditionnels contre le culte de l'amateur. Nous ne devons pas révolutionner, mais réformer ces industries du divertissement et de l'information qui ont enrichi notre culture et nos vies. J'ai bien peur que ce merveilleux écosystème d'auteurs, d'éditeurs, de rédacteurs, de producteurs, d'agents, de journalistes, de musiciens et de comédiens ne puisse jamais être rebâti s'il est un jour démantelé. Nous le détruisons à nos risques et périls.

Je ne veux pas que l'Histoire se souvienne de nous comme de la génération qui, obnubilée par un idéal de démocratisation, a tué les médias professionnels. Je ne veux pas que nous devenions ceux qui ont remplacé les films, la musique et les livres par... VOUS ! Utilisons la technologie pour encourager le progrès, l'innovation et la communication, mais tout en préservant nos standards actuels de franchise, de bienséance et de créativité.

Bâtir l'avenir dans le respect du passé. Voilà notre véritable obligation morale.

Chapitre 9

Le Web 2.0 et la politique

LES MÉDIAS GÉNÉRÉS PAR LES UTILISATEURS SONT-ILS EN TRAIN DE TUER LA DÉMOCRATIE AMÉRICAINE ?

C'était à Varsovie. Je venais de prononcer un discours sur les dangers des médias générés par les utilisateurs dans les bureaux du *Polityka*, l'un des hebdomadaires politiques les plus respectés de Pologne. Je n'ai donc pas été étonné que la question la plus difficile de la soirée porte sur les conséquences politiques de la révolution du Web 2.0.

« Vous affirmez que les médias générés par les utilisateurs ont pris d'assaut l'économie, la culture et les valeurs américaines, mais qu'en est-il de la politique, m'a demandé un journaliste polonais. Comment la révolution du Web 2.0 influencera-t-elle l'élection américaine de 2008 ? »

On m'avait posé la même question d'innombrables fois depuis la parution de mon ouvrage *Le culte de l'amateur* l'année précédente. Partout où je me rendais – en Allemagne, en Angleterre, au Danemark, en France, aux Pays-Bas, en Grèce et même au Brésil (où j'avais été invité à m'adresser aux délégués d'une conférence de l'ONU portant sur Internet) – tous voulaient savoir comment le Web 2.0 allait changer la politique américaine.

C'était hélas la question à laquelle j'étais incapable de répondre en toute confiance. « L'année prochaine (2008) *pourrait* être l'année où la blogosphère élira le prochain président des États-Unis. Il est *possible* qu'en 2008, le culte de l'amateur envahisse la Maison-Blanche, ai-je répondu, patinant comme un vrai politicien. Mais avant le début des primaires en 2008, ce n'est que de la spéculation. »

Eh bien! au moment où j'écris ces lignes, nous sommes en 2008 et la saison des primaires américaines vient de commencer. Je n'ai donc plus d'excuses pour éviter de me prononcer. Permettez-moi donc de revenir au questionnement du journaliste polonais. Les blogues, MySpace et YouTube sont-ils en train de tuer la démocratie américaine? Les médias générés par les utilisateurs sont-ils en train de détruire notre politique – comme notre économie, notre culture et nos valeurs? Les singes de Huxley sont-ils en train de remonter de branche en branche l'avenue Pennsylvanie pour entrer à la Maison-Blanche?

Les singes de Huxley, vous vous en souviendrez, sont les hordes d'amateurs qui se mettent eux-mêmes en vedette et saturent Internet avec leur contenu maison (en général) sans valeur. Quant à l'influence du Web 2.0 sur la démocratie américaine, ce sont les hérissons plutôt que les singes de Huxley qui menacent l'état de santé de la démocratie des États-Unis.

Permettez-moi de m'expliquer. Le philosophe anglais Isaiah Berlin a déjà déclaré qu'il existait deux catégories de politiciens – les hérissons et les renards. «Il sait bien des tours, le renard. Le hérisson, lui, n'en connaît qu'un», dit Berlin en citant le poète grec Archiloque. La vision du monde du hérisson repose sur une seule idée fixe, tandis que le renard aborde la réalité sous plusieurs angles et de diverses façons. La démocratie américaine a été bâtie par des renards, comme James Madison, qui a reconnu que notre système politique de représentation, avec sa division des pouvoirs, devait refléter tant l'imperfection que la complexité de la condition humaine. Au contraire, les utopistes de la technologie sont des hérissons qui voient le monde – et la place que nous y occupons – uniquement en fonction des «améliorations» que la technologie peut apporter à tous les aspects de la société.

Au mois de mai 2007, je me suis retrouvé à New York, seul renard au milieu d'une bande de hérissons. J'avais été invité à un événement appelé le Personal Democracy Forum dans le cadre d'un débat sur la démocratie numérique. Mon vis-à-vis était Craig Newmark, le multimillionnaire fondateur et représentant autoproclamé du service à la clientèle de Craigslist. «La technologie est en train de *changer la politique*», claironnaient triomphalement les organisateurs. En fait, le Personal Democracy Forum est un camp FOO pour politicards et j'y ai trouvé la même atmosphère excessivement complaisante qu'aux retraites «open-source» de Tim O'Reilly à l'intention des élites radicales.

Le Personal Democracy Forum a une idée fixe: la technologie peut *perfectionner* la démocratie. C'est le paradis des hérissons. À tour de rôle, les idéalistes – incluant Eric Schmidt, le PDG de Google, et Lawrence Lessig, professeur de droit à Stanford – ont parlé au nom du peuple américain sur les avantages de la démocratie numérique. Tous ont affirmé que le système politique actuel ne fonctionnait pas et que, comme un logiciel désuet, il avait tout simplement besoin d'une mise à niveau. Les technologies démocratisantes, comme les blogues, les wikis et les réseaux sociaux, ont-ils promis, conféreraient énormément de pouvoir à l'électorat. Les médias participatifs dépouilleraient les élites politiques traditionnelles de leur pouvoir, démocratiseraient la bureaucratie en faisant disparaître les intermédiaires, permettraient aux électeurs occasionnels de devenir des citoyens à part entière et, de façon plus spectaculaire encore, transformeraient les politiciens professionnels – à la manière de Craig Newmark – en représentants des services à la clientèle du peuple américain.

Pendant le déjeuner, un hérisson – vétéran de la campagne Dean de 2004 – m'a personnellement initié à l'impact radical de la technologie sur la politique. Habillé à la Steve Jobs, jeans noirs et col roulé en cachemire, il tenta de me vendre l'idée que la technologie est le meilleur antidote à la tyrannie des gouvernements.

« Il faut que vous compreniez que nous assistons à la véritable révolution américaine, m'a-t-il expliqué en me regardant droit dans les yeux. La politique 2.0 sera le développement démocratique le plus révolutionnaire depuis…

— La politique 1.0 ? » ai-je répliqué ironique.

Comme la plupart des hérissons, il manquait d'humour. « La politique 2.0 n'est pas une blague, répliqua-t-il impatiemment. Les blogues, YouTube et les réseaux sociaux sont en train de tout changer. En 2008, le prochain président des États-Unis sera généré par les utilisateurs. »

Mais 2008 est là et maintenant il s'en mord les doigts. Certes, l'année est encore jeune, ce n'est que le milieu de janvier, quelques jours après le caucus de l'Iowa et les primaires du New Hampshire. Jusqu'à maintenant, le Web 2.0 n'a pas révolutionné le processus électoral ; il n'y a pas eu d'élection YouTube ; la blogosphère n'a pas supplanté les médias traditionnels comme principale source d'information ou véhicule de discussion. Ce n'est pas l'étendue des réseaux sociaux des candidats (Ron Paul en est un exemple typique) qui a déterminé le nombre de votes recueillis. À ce jour, heureusement, un président américain généré par les utilisateurs demeure la plus absurde des inventions des hérissons.

Si j'avais reçu un dollar chaque fois qu'un observateur politique (moi inclus, je le confesse) a prédit que l'élection de 2008 serait une élection

YouTube, j'aurais assez d'argent pour ouvrir mon propre site vidéo « participatif ». Mais les seuls impacts politiques qu'a eus YouTube en 2007 ont été les deux débats présidentiels CNN/YouTube – et, même là, le rôle des amateurs a été extrêmement limité. Il est vrai que ce sont des citoyens ordinaires qui ont posé les questions aux candidats des deux partis dans des vidéos qu'ils ont produites eux-mêmes. Toutefois, le débat a été modéré par Anderson Cooper, un présentateur-vedette chevronné qui a limité les réponses à 30 courtes secondes et a même dicté lequel, parmi les candidats, répondrait à chacune des questions. De plus, c'est Cooper, en collaboration avec son équipe de CNN, qui a sélectionné minutieusement les vidéos qui seraient diffusées parmi les milliers qui ont été soumises. Ainsi, tandis qu'on faisait l'éloge de la formule du débat qui, disait-on, permettait aux candidats de répondre directement à leurs commettants, en réalité ceux-ci répondaient uniquement aux questions jugées dignes d'être diffusées en ondes par les producteurs de CNN.

De plus, les spécialistes ont eu tort (jusqu'à maintenant) de prétendre que YouTube pourrait détruire un candidat prometteur ou faire dérailler une campagne jusqu'alors réussie. Ils ont imaginé à tort que la campagne de 2008 serait un festival de « moments Maccaca » dans lesquels les têtes tomberaient, victimes d'une chasse aux sorcières alimentée par YouTube. Heureusement, cela ne s'est pas produit. En 2007, le moment qui est venu le plus près d'être « Maccaca » a été celui où John McCain a été filmé en train de chanter « *bomb bomb bomb, bomb Iran* » sur la mélodie de *Barbara Ann* des Beach Boys. Mais quand un militant anti-McCain a affiché la vidéo sur YouTube, les Américains ont réagi avec indifférence. Notre électorat a été assez intelligent pour reconnaître qu'il s'agissait d'une blague typique d'un vétéran du Vietnam ; de mauvais goût, soit, mais rien qu'une blague, et l'incident a à peine été mentionné dans les bulletins de nouvelles. Ainsi, loin de subir le même sort que George Allen, au moment où j'écris ces lignes moins d'une semaine après sa victoire aux primaires du New Hampshire, l'imbattable sénateur de l'Arizona (qui en est à son quatrième mandat) mène la course à l'investiture du Parti républicain.

On ne peut nier que la blogosphère bourdonne de discours politiques et que les principaux candidats ont d'innombrables supporters sur MySpace et Facebook. Il faut aussi reconnaître que le Web 2.0 a fait augmenter le taux de participation et même permis de recueillir plus de fonds de la base – dans toutes les sphères du spectre politique. Mais les résultats des caucus de l'Iowa ou des primaires du New Hampshire ont-ils été déterminés par les médias générés par les utilisateurs ? Obama et Huckabee ont-ils remporté l'Iowa parce qu'ils avaient 400 000 « amis » sur Facebook ou une organisation politique virtuelle bien dotée en personnel dans Second Life ? Le candidat libertaire Ron Paul a-t-il obtenu plus qu'une risible poignée de votes – même après avoir recueilli 20 millions de dollars sur Internet au cours du quatrième trimestre de 2007 ? Les blogueurs agressifs, comme Glenn Reynolds ou Markos Moulitsas, ont-ils réussi à influencer quelques électeurs ou à forcer les candidats à changer leur position sur des sujets importants ?

Non. Au contraire, nous avons assisté en Iowa et au New Hampshire à des courses équitables, intéressantes et civilisées dont les résultats ne doivent pratiquement rien aux médias générés par les utilisateurs. Le message des électeurs de l'Iowa et du New Hampshire confirme que la politique 1.0 continue de fonctionner aux États-Unis. L'électorat voulait un changement politique, bien sûr – mais pas des changements aux règles du jeu. Obama et Huckabee ont remporté l'Iowa pour les mêmes raisons que les candidats remportent des courses depuis plus de 200 ans : une meilleure organisation politique, une collecte de fonds fructueuse, un grand charisme personnel, des qualités d'orateur indéniables et des positions reflétant celles des gens qui votent – et non à cause de leur site Web, de leurs campagnes de publicité par courriels ou de leurs spots publicitaires en temps réel diffusés en ligne. De même, John McCain a gagné au New Hampshire parce que les médias locaux lui ont donné leur appui et parce qu'il a participé à plus de 100 réunions locales au cours de la campagne, et non parce qu'il était le préféré des blogueurs et avait le plus grand nombre d'amis sur MySpace.

Et que dire de Hillary Clinton ? Comment a-t-elle réussi à freiner l'élan d'Obama (après sa victoire dans l'Iowa) pour remporter les primaires démocrates du New Hampshire en 2008 ? Simple. Comme des centaines de politiciens avant elle, elle a finalement laissé transparaître ses émotions devant le public américain. Mais ce moment larmoyant n'était pas un moment « Maccaca » filmé sur un caméscope à 200 $ par un amateur voyeur et diffusé sur YouTube. Non, la toute récente intimité d'Hillary Clinton avec le peuple américain a été captée par les médias traditionnels et diffusée sur CNN, ABC et sur tous les autres grands réseaux. Ce fut un moment aussi historique que le débat opposant Nixon, dégoulinant de sueur, à JFK en 1960 ou que cette journée d'hiver, en 1972, où Edmund Muskie a pleuré en pleine rue à Manchester, NH.

J'ai maintenant la réponse à la question de ce journaliste polonais. Une bonne nouvelle pour faire changement. Malgré les prétentions des hérissons, la révolution de la démocratie américaine par les médias du Web 2.0

n'est pas pour demain. La raison en est toute simple : la plupart des électeurs américains sont des renards plutôt que des hérissons et ils sont ouverts à plusieurs sujets. Les électeurs d'aujourd'hui sont davantage intéressés aux situations politiques complexes auxquelles les États-Unis doivent faire face – l'Irak, l'Iran, l'économie, l'environnement, le système de santé, l'immigration – qu'à utiliser la fine pointe de la technologie pour en discuter. Bien sûr, les blogues, Facebook, YouTube et Wikipédia jouent un rôle dans la façon dont les électeurs se renseignent sur les candidats – cela fait simplement partie du nouveau paysage médiatique. Mais la télévision, les journaux, la radio, les livres et les autres médias traditionnels demeureront les principaux véhicules d'information – et nous pouvons nous en réjouir ! Le prochain président des États-Unis ne sera pas généré par les utilisateurs du Web 2.0. La politique 1.0 reste la norme en démocratie américaine et, personnellement, je ne vois pas la nécessité d'une mise à niveau.

Notes

Introduction

1. Pour en savoir plus à propos de la théorie de Huxley, consultez l'essai de Jorge Luis Borges paru en 1939, *La bibliothèque totale,* repris en 1941 sous le titre de *La bibliothèque de Babel.*
2. Evan HESSEL, « Shillipedia », *Forbes,* 19 juin 2006.
3. Pete CASHMORE, « YouTube is World's Fastest Growing Website », *Mashable,* éditions Internet, [en ligne]. [http://mashable.com/2006/07/22/youtube-is-worlds-fastest-growing-website/].
4. Scott WOOLEY, « Video Fixation », *Forbes,* 16 octobre 2006.
5. AUDIT BUREAU OF CIRCULATIONS, rapports, septembre 2005, *BBC News,* [en ligne]. [http://news.bbc.co.uk/2/hi/entertainment/4639066.stm] (23 janvier 2006).
6. Jeff HOWE, « No Suit Required », *Wired,* septembre 2006.
7. Frank AHRENS, « Disney to Reorganize Its Lagging Movie Studios », *Washington Post,* 20 juillet 2006.
8. L'expression « *cult of the amateur* » a été employée pour la première fois par Nicholas Carr dans son essai *The Amorality of Web 2.0,* [en ligne]. [roughtype.com] (3 octobre 2005).

Chapitre 1 : La grande séduction

1. « Liquid Truth : Advice from the Spinmeister », *PR Watch,* vol. 7, n° 4, 4ᵉ trimestre 2000.
2. Antonio REGALADO et Dionne SEARCEY, « Where Did That Video Spoofing Al Gore's Film Come From ? », *Wall Street Journal,* 3 août 2006.
3. Michael BARBARO, « Wal-Mart enlists bloggers in PR campaign », *New York Times,* 7 mars 2006.

4. « Ken Lay's Death Prompts Confusion on Wikipedia », *USA Today*, Reuters, 5 juillet 2006.

5. Marshall POE, « The Hive », *The Atlantic*, septembre 2006.

6. Kevin KELLY, « Scan This Book! », *New York Times Magazine*, 14 mai 2006.

7. *A Million Penguins*, [en ligne]. [www.AMillionPenguins.com] (20 juillet 2006).

8. « Publisher launches its first "wiki" novel », Reuters, 1er février 2007.

9. Chris ANDERSON, *La longue traîne : quand vendre moins, c'est vendre plus*, Montréal, Éditions logiques, 2007, 366 p.

10. Trevor BUTTERWORTH, « Time for the Last Post », *Financial Times*, 17 février 2006.

11. « A Review of My First Year of Blogging », *How to Change the World*, [en ligne]. [http://blog.guykawasaki.com/2007/01/a_review_of_my_. html].

12. Brookes BARNES, « Big TV's Broadband Blitz », *Wall Street Journal*, 1er août 2006.

Chapitre 2 : L'amateur noble

1. Entrevue avec l'auteur, 24 août 2006.

2. Stacy SCHIFF, « Know It All : Can Wikipedia Conquer Expertise ? », *The New Yorker*, 31 juillet 2006.

3. *Ibid.*

4. Marshall POE, *op. cit.*

5. *CNET News*, 13 mars 2001 et 2 janvier 2002.

6. Nicholas LEMANN, « Amateur Hour : Journalism Without Journalists », *The New Yorker*, 7 et 14 août 2006.

7. *Ibid.*

8. Matt Drudge au National Press Club, 2 juin 1998.

9. Entrevue avec l'auteur.

10. Entrevue avec l'auteur, 17 mars 2006.

11. Nicholas LEMANN, *op. cit.*

12. *Ibid.*

13. Robert J. SAMUELSON, « A Web of Exhibitionists », *Washington Post*, 20 septembre 2006.

14. Jürgen HABERMAS, discours prononcé lors de la réception du prix Bruno-Kreisky pour les droits de l'homme, 9 mars 2006.

15. William GRIMES, « You're a Slow Reader? Congratulations », *New York Times,* 22 septembre 2006.
16. Kevin KELLY, *op. cit.*
17. *Ibid.*
18. Eric STUER, « The Infinite Album », *Wired,* 14 septembre 2006.
19. Débat, « Can Anyone Be a Designer? », *Fast Company,* octobre 2006.
20. Louise STORY, « Super Bowl Glory for Amateurs with Video Cameras », *New York Times,* 27 septembre 2006.
21. Glenn REYNOLDS, *An Army of Davids,* Nelson, 2006.

Chapitre 3 : Mensonge et vérité

1. Nancy Jo SALES, « Click Here for Conspiracy », *Vanity Fair,* septembre 2006.
2. John MARKOFF, « Attack of the Zombie Computers Is Growing Threat », *New York Times,* 7 janvier 2007.
3. Joanne GREEN, « Blind Date », *Miami New Times,* 14 septembre 2006.
4. Laura PARKER, « Courts Are Asked to Crack Down on Bloggers, Web Sites », *USA Today,* 2 octobre 2006.
5. *Ibid.*
6. Amy TAN, « Personal Errata », dans *The Opposite of Fate,* Penguin Putnam, 2003.
7. « Sock Puppet Bites Man », éditorial du *New York Times,* 13 septembre 2006.
8. Jon FINE, « The Strange Case of LonelyGirl15 », *BusinessWeek,* 11 septembre 2006.
9. Howard KURTZ, « Loneliness, Lies, and Videotape », *Washington Post,* 18 septembre 2006.
10. Tom GLOCER, « Trust in the Age of Citizen Journalism », *Tom Glocer's Blog,* retranscription du discours donné à la Globe Media Conference à Tel-Aviv le lundi 11 décembre 2006. [http://tomglocer.com/blogs/sample_weblog/archive/2006/12/12/142.aspx].
11. Sara KEHAULANI GOO, « Videos of Web Widen Lens on Conflict », *Washington Post,* 25 juillet 2006.
12. Charles C. MANN, « Blogs+Spam=trouble », *Wired,* septembre 2006.
13. Brian GROW, Ben ELGIN et Moira HERBST, « Click Fraud », *BusinessWeek,* 2 octobre 2006.
14. *Ibid.*

15. Tom ZELLER (fils), « Gaming the Search Engine, in a Political Season », *New York Times,* 6 novembre 2006.

16. Communiqué de presse d'Edelman PR, 23 janvier 2006.

17. Caroline McCARTHY, « Paris Hilton Showcases YouTube's New Ad Concept », *CNET,* [en ligne]. [cnet.com] (22 août 2006).

18. Jamin WARREN et John JURGENSON, « The Wizards of Buzz », *Wall Street Journal,* 10 février 2007.

19. Charles MACKAY, *Extraordinary Popular Delusions,* Harriman House Classics, 2003.

Chapitre 4 : Quand meurt la musique (Face A)

1. Joel SELVIN, « For S.F. rockers, Tower Records was where it was all happening – now the party's over », *San Francisco Chronicle,* 19 octobre 2006.

2. *The Financial Times,* 12 octobre 2006, basé sur une recherche de l'International Federation of the Phonographic Industry (IFPI).

3. « Ann Powers Remembers Tower Records », *Los Angeles Times,* 11 octobre 2006.

4. Dave KUSEK et Gerd LEONHARD, *The Future of Music : Manifesto for the Digital Music Revolution,* Berklee Press, 2005.

5. Recording Industry Association of America.

6. Richard WATER, « MySpace seeks to become a force in online music sales », *The Financial Times,* 1er septembre 2006.

Chapitre 5 : Quand meurt la musique (Face B)

1. Philip V. ALLINGHAM, « Dickens's 1842 Reading Tour : Launching the Copyright Question in Tempestuous Seas », *The Victorian Web,* [en ligne]. [www.victorianweb.org/authors/dickens/pva/pva75.html].

2. Philip V. ALLINGHAM, « Dickens's 1867-68 Reading Tour : Re-Opening the Copyright Question », *The Victorian Web,* [en ligne]. [www.victorianweb.org/authors/dickens/pva/pva76.html].

3. Jay EPSTEIN, « The World According to Edward », *Slate,* 31 octobre 2005.

4. *Hollywood Reporter,* 21 décembre 2006.

5. Sharon WAXMAN, « After Hype Online, "Snakes on a Plane" Is Letdown at Box Office », *New York Times,* 21 août 2006.

6. Frank AHRENS, *op. cit.*

7. Yuanzhe CAI et Kurt SCHERF, « Internet Video : Direct to Consumer Services », *Park Associates Report,* novembre 2006.
8. Mark PORTER, « Competition Is Killing Independant U.S. Bookstores », Reuters, 26 décembre 2006.
9. David STREITFIELD, « Bookshops' latest and sad plot twist », *Los Angeles Times,* 7 février 2006.
10. *San Antonio Business Journal,* 24 novembre 2006.
11. Katharine Q. SEELYE, « In Tough Times, a Redesigned Journal », *New York Times,* 4 décembre 2006.
12. Katharine Q. SEELYE, « Newspaper Circulation Falls Sharply », *New York Times,* 31 octobre 2006.
13. *Ibid.*
14. Michael WOLFF, « Panic on 43rd Street », *Vanity Fair,* septembre 2006.
15. « Ad woes worsen at Big Newspaper », *Wall Street Journal,* 20 octobre 2006.
16. Maria ASPAN, « Great for Craigslist But Not for Newspapers », *New York Times,* 28 novembre 2005.
17. « Who Killed the Newspaper ? », *The Economist,* 24 août 2006.
18. Katharine Q. SEELYE, « Times Company Announces 500 Job Cuts », *New York Times,* 21 septembre 2005.
19. Katharine Q. SEELYE, « Los Angeles Times Publisher Is Ousted », *New York Times,* 6 octobre 2006 ; « Los Angeles Paper Ousts Top Editor », *New York Times,* 8 novembre 2006.
20. David CARR, « Gruner and Jahr Chief Intends to Cut Costs by $25 million », *New York Times,* 7 août 2004.
21. Philip WEISS, « A Guy Named Craig », *New York,* 16 janvier 2006.
22. Michael WOLFF, *op. cit.*
23. Katharine Q. SEELYE, « A Newspaper Investigates Its Future », *New York Times,* 12 octobre 2006.
24. « Who Killed the Newspaper ? », *The Economist,* 24 août 2006.
25. Michael WOLFF, *op. cit.*
26. « Who Killed the Newspaper ? », *The Economist,* 24 août 2006.
27. *eMarketer Report,* 17 octobre 2006.
28. Tim WEBER, « YouTubers To Get Ad Money Share », *BBC News,* 27 janvier 2007.

Chapitre 6 : Un désordre moral

1. Suzanne SATALINE, « That Sermon You Heard on Sunday May Be from the Web », *Wall Street Journal,* 13 novembre 2006.
2. Karoun DEMIRJIAN, « Denise Pope Comments on Student Plagiarism », *Christian Science Monitor,* 11 mai 2006.
3. Matt ASSAD, « How Online Gambling Toppled Greg Hogan's World », *Morning Call,* 17 août 2006.
4. George T. LADD et Nancy M. PETRY, « Disordered Gambling Among University-Based Medical and Dental Patients : A Focus on Internet Gambling », *Psychology of Addictive Behaviors,* vol. 16, n° 1, mars 2002, p. 76-79.
5. Mattathias SCHWARTZ, « The Hold-'Em Hold Up », *New York Times Magazine,* 11 juin 2006.
6. Robyn GREENSPAN, « Porn Pages Reach 260 million », *Internet-news. com,* [en ligne]. [http://www.internetnews.com/bus-news/article.php/3083001] (5 septembre 2003).
7. *Pediatrics : the Official Journal of the American Academy of Pediatrics,* vol. 19, n° 2, février 2007, p. 247-257.
8. « The Prurient Interest : An Eighth Grader Weighs In », *Nerve.com,* [en ligne]. (10 octobre 2006).
9. Joe GAROFOLI, « Families of sexually abused girls sue MySpace, alleging negligence », *The San Francisco Chronicle,* 19 janvier 2007.
10. January W. PAYNE, « Caught in the Web », *Washington Post,* 14 novembre 2006.
11. « My Virtual Life », *BusinessWeek,* 1er mai 2006.
12. Laura CONAWAY, « Rape Still Haunting Cyberspace », *Village Voice,* édition Internet, 15 décembre 2006.

Chapitre 7 : 1984 (version 2.0)

1. Daniel LEE, « Lost and Found : Info on 260,000 Patients », *Indiana Star,* 25 octobre 2006.
2. Katie WEEKS, « Fast-Growing Medical Identity Theft Has Lethal Consequences », *San Diego Business Journal,* 16 octobre 2006.
3. Tom ZELLER (fils), « For Victims, Repairing ID Theft Can Be Grueling », *New York Times,* 1er octobre 2005.
4. Clive THOMPSON, « Open-Source Spying », *New York Times Magazine,* 3 décembre 2006.

5. Alexis MOSTROUS et Rob EVANS, « Google Will Be Able to Keep Tabs on All of Us », *The Guardian*, 3 novembre 2006.

6. Richard WRAY, « Google Users Promise Artificial Intelligence », *The Guardian*, 23 mai 2006.

Chapitre 8 : Les solutions

1. James RAINEY, « Editor James O'Shea unveils Web initiative at Times », *Los Angeles Times*, 24 janvier 2007.

2. International Federation of the Phonographic Industry (IFPI), *Digital Music Report*, 2007.

3. *Nielsen SoundScan Report*, 14 décembre 2006.

4. Steve JOBS, « Thoughts on music », [en ligne]. [www.apple.com] (7 février 2007).

5. Devin LEONARD, « Rockin' Along in the Shadow of iTunes », *Fortune*, 19 février 2007.

6. Joshua CHAFFIN, Andrew EDGECLIFFE-JOHNSON et Richard WATERS, « EMI Goes Radical on Digital Rights », *Financial Times*, 12 février 2007.

7. Nicole URBANOWICZ, « Fox Subpoenas YouTube over Pirated TV Shows », *Wall Street Journal*, 26 janvier 2007.

Table des matières

Achevé d'imprimer au Canada
sur papier Quebecor Enviro 100% recyclé
sur les presses de Quebecor World Saint-Romuald

100%